S0-CAM-761

# 고베 밥상

맛있는 일본 가정 요리

**초판 1쇄 펴낸 날** _ 2011년 3월 21일
**초판 3쇄 펴낸 날** _ 2011년 4월 30일

**지은이** _ 성민자
**펴낸이** _ 조영혜
**펴낸 곳** _ 동녘라이프

**전무** _ 정락윤
**책임 편집** _ 김옥현
**편집** _ 이상희 박재영 박상준 구형민 이미종 이정미 윤현아
**사진** _ 이보영(ROC studio) 성민자
**미술** _ 김은영
**영업** _ 이상현
**관리** _ 서숙희 장하나

**디자인** _ thesouth(www.thesouth.co.kr)
**교열** _ 박성숙
**인쇄** _ 새한문화사
**제본** _ 영신사
**라미네이팅** _ 북웨어
**종이** _ 한서지업사

**등록** _ 제311-2003-14호 1997년 1월 29일
**주소** _ (413-756) 경기도 파주시 교하읍 문발리 파주출판도시 532-5
**전화** _ 영업 031-955-3000 편집 031-955-3005 **전송** _ 031-955-3009
**블로그** _ www.dongnyok.com **전자우편** _ life@dongnyok.com

ISBN 978-89-90514-46-2 13590

*책값은 뒤표지에 있습니다.
*이 도서의 국립중앙도서관 출판시도서목록(CIP)은 e-CIP홈페이지(http://www.nl.go.kr/ecip)와
국가자료공동목록시스템(http://www.nl.go.kr/kolisnet)에서 이용하실 수 있습니다.
(CIP제어번호: CIP2011001159)

맛있는 일본 가정 요리

고베 밥상

# contents

バンシの手紙

고베에서 온 반시의 편지

저는 하루 중 식사 시간이 가장 즐겁습니다. 학창 시절에는 2교시가 끝나자마자 쉬는 시간에 도시락을 먹곤 했어요. 그때 먹은 빨간 오징어채무침과 하얀 밥은 왜 그리 맛있었던지요. 먹는 것을 무척 좋아하는 저는 밥 飯과 때 時를 붙여 만든 '반시'라는 닉네임으로 요리 블로그를 시작했습니다. 일본에 살면서 보고, 배우고, 느낀, 음식에 대한 이야기를 기록하고 싶었고, 더불어 한글 맞춤법도 공부하고 싶어서였지요. 그런데 감사하게도 그것을 계기로 이렇게 책까지 출간하게 되었네요.

미국에서 20대를 보낸 저는 일본에서 30대를 보내고 있습니다. 미국에서 만난 일본인과 결혼해 현재 일본 고베에서 살고 있어요. 다른 직업을 택했다면 요리사가 되었을 거라고 말씀하시는 시아버지와 한글 공부에 여념이 없는 시어머니를 만난 것은 저에게 큰 축복입니다. 특히 시어머니는 제게 특별한 분입니다. 처음 인사를 드리러 갔을 때 직접 담근 김치로 만든 김치김밥과 물김치를 내주셨을 정도로 한국 요리에도 관심이 많으십니다. 된장, 우메보시 같은 일본 요리부터 한국 물김치까지 다양한 요리를 제게 가르쳐 주신 분이기도 합니다. 이 책을 만드는 데도 근처에 사시는 시어머니의 도움을 많이 받았습니다. 한국 사람인 제가 일본 요리책을 낼 수 있게 된 것도 시어머니가 계셨기에 가능한 일이지요.

스스로 식사를 해결해야 하는 외국 생활이 길어지면서 다양한 식문화와 건강의 소중함을 깨닫게 되었습니다. 대부분 혼자 밥을 먹어야 했기에 그럴수록 즐겁게 식사를 해야겠다고 생각했습니다. 음식의 맛에 더욱 신경을 쓰게 되었고, 아프기라도 하면 옆에서 돌봐줄 사람이 없다는 생각에 자연히 건강식에 관심을 갖게 되었습니다. 그렇게 형성된 저의 식습관은 '몸과 마음을 기쁘게 해주는 쉬운 자연식'이라는 저만의 요리 철학을 갖게 해 주었습니다.

이 책이 여러분의 건강한 식생활에 도움이 되었으면 좋겠습니다. 또한 옆집에 놀러가서 주방을 구경하듯, "이웃 나라 일본 가정에서는 매일 뭘 해 먹고 살까?"라는 궁금증이 조금이나마 풀릴 수 있었으면 합니다. 그리고 책을 보고 난 뒤 요리를 하고 싶은 생각이 든다면 저에게는 더 없이 기쁜 일이겠지요. 최선을 다했지만 그래도 부족하거나 궁금한 점이 많으리라 생각됩니다. 그럴 때는 반시블로그의 문을 두드려 주세요. 최대한 정성껏 답변을 드리겠습니다.

책이 완성되기까지 많은 분의 도움과 수고가 있었습니다. 먼저 여러분과 만날 수 있도록 기회를 주신 동녘라이프와 사진작가, 스태프 여러분 고맙습니다. 그리고 누구보다 김옥현 팀장님의 열정과 조언, 저에게 주신 믿음에 깊이 감사드립니다. 마지막으로 나의 소중한 가족에게도 감사와 사랑을 전하고 싶습니다.

● 반시블로그 blog.daum.net/bansiblog

고베에서 온 소박한 일본 밥상
飯時 自然食

소박한 재료와 간단한 조리법으로 만드는 일본 가정식을 제안합니다.

건강은 올바른 식습관에서 시작됩니다.

밥과 반찬을 기본으로 한 정식과 초대상, 그리고 도시락 메뉴로 매일 건강한 식탁을 준비하세요.

일본 가정 요리 교실

part

# 01

일본 가정식은 밥, 국, 반찬으로 구성됩니다. 흰밥 또는 현미밥에 된장국이 기본이며, 조림, 볶음, 찜, 날것 중에서 선택한 메인 반찬과 소금, 간장, 초절임 같은 저장 반찬을 곁들입니다. 계절에 상관없이 웬만한 식재료를 구할 수 있지만, 일본 가정식은 고집스러울 정도로 계절을 느낄 수 있는 식재료를 선택해 맛과 영양의 균형을 맞추는 것을 기본으로 합니다. 이 고집스러움이 바로 일본 가정의 건강을 유지할 수 있는 큰 원동력입니다. 계절을 존중한 상차림은 곧 철마다 몸이 원하는 최고의 영양소를 공급받는 것이라고 생각합니다.

가정식 문화가 계절 중심이기 때문에 철마다 다양한 음식을 해 먹을 수 있어 "오늘은 무엇을 해 먹을까?"라는 고민도 줄게 되지요. 제철에 나오는 싱싱한 식재료는 바로 일본 가정의 식탁으로 옮겨지고, 그 음식이 좀 질린다 싶을 때면 어느새 계절이 바뀌어 새로운 식재료가 나와 새로운 메뉴로 입맛을 돋워 줍니다.

여름 채소를 질리도록 먹었다 싶으면 싱싱한 가을 꽁치와 연어가 시장에서 판매되고, 바람이 쌀쌀하게 불어 국물 음식이 당긴다 싶으면 어느새 나베 요리 재료들이 줄을 잇지요. 국물 요리가 슬슬 질리기 시작하면 봄나물이 등장하기 시작하고요. 이렇게 시장에서 판매되는 식재료가 바로 그날의 메뉴가 되곤 하는데, 이것이 바로 일본 가정식의 큰 특징 중 하나입니다. 식습관이 서양화된 신세대들은 밥보다 빵을 즐겨 먹기도 하지만, 이런 특징을 바탕으로 지금의 일본 가정식에는 "빵과 함께 먹는 미소시루"라는 표현을 쓸 정도로 변화와 전통이 공존하고 있습니다.

## 하나.
## 일본 가정식의 특징

part
01

1. 하루 세 끼 영양 식단 | 일본도 우리처럼 아침, 점심, 저녁 식사 모두 기본은 밥입니다. 그러나 매끼
먹는 밥이지만 끼니에 따라 각각 다른 목적으로 밥상을 차립니다.
전통적으로 아침은 위와 장을 깨끗이 한다는 의미에서 식사를 준비합니다. 장의 움직임이 활발하도록
낫토와 같은 발효 콩을 섭취하고, 된장국(미소시루味噌汁)을 마시는 것이 관습이요. 점심은 에너지를
내는 음식으로 밥상을 차립니다. 힘을 낼 수 있도록 고기나 생선 같은 단백질과 채소를 함께 먹어 영양의
균형을 맞춰 줍니다. 그리고 저녁은 몸을 편안하게 하는 영양 성분이 풍부한 음식을 먹습니다. 단백질보
다는 비타민과 미네랄 등의 영양이 가득한, 기름지지 않은 채소 중심 식사를 하는 것이 기본입니다.

2. 제철 음식이 기본 | 일본 가정식은 쇼쿠가 기본입니다. '쇼쿠食'는 사람 인人과 어질 양良이 합쳐진 말로, 일본에서는 '사람의 마음과 몸을 좋게 한다'고 하여 식생활을 중요시 하지요. 또한 '식생활은 자연 속에서 이루어진다'는 사고방식을 가지고 있어 제철 음식을 강조합니다.

결혼한 뒤 시댁 식구와 함께 식사를 하면서 귀에 못이 박히도록 들은 얘기가 제철 식품과 재료의 궁합에 관한 내용이었어요. 여름의 막바지가 되어 찬바람이 분다 싶으면, 여름 내내 매 끼니마다 된장에 찍어 먹던 오이를 절대로 먹지 않는 거예요. 오이는 몸을 차게 하는 음식이기 때문이지요. 시장과 마트에는 아직 싱싱한 오이가 가득한데도 말이죠. 식탁에서 주로 하는 얘기도 "이 수박이 올해 마지막이야" 등이죠. 나중에는 좀 짜증이 날 정도였어요. 그런데 이는 우리 가족만의 일이 아니었어요. TV를 켜도, 라디오를 틀어도, 서점을 가도, 사람들을 만나도 온통 그 계절에 나는 제철 음식과 재료의 궁합에 대한 얘기였어요.

예를 들면, 맥주를 꼭 여름에만 마시라는 법이 없는데도 여름만 되면 TV는 맥주 광고로 도배되고, 맥주의 패키지 또한 계절에 맞게 가을이면 단풍잎, 겨울이면 눈이 내리는 디자인으로 바뀌곤 하죠. 이렇듯 일본 가정식에서는 계절색이 두드러지는 것이 특징입니다.

3. 심플한 양념 | 일본 가정 요리에서 제철 음식과 음식끼리의 궁합이 중요하게 여겨지는 이유 중 하나는 바로 심플한 양념에 있습니다. "일본 음식은 간장 맛 아니면 된장 맛이겠지"라던 친구의 말처럼 일본은 양념 재료가 단순한 편이에요. 라면집을 가도 간장 라면(쇼유라멘醤油ラーメン), 된장 라면(미소라멘味噌ラーメン), 그리고 소금 라면(시오라멘塩ラーメン)이라고 구분할 정도지요. 이 가운데 소금은 세계 어디서나 사용하는 기초 재료라고 한다면 간장 아니면 된장, 이렇듯 간단한 양념 2가지입니다. 그렇다 보니 다양한 재료가 가지고 있는 각각의 맛을 즐기는 식생활 구조가 되었답니다.

일본 요리에는 이러한 기본양념 재료들의 사용법에 '사시스세소さしすせそ'라는 말이 있습니다. 우리나라의 '가나다라마'와 같은 일본어의 순서인데, 이 순서대로 양념 재료를 음식에 넣어 요리하는 방법이지요. '사'는 설탕砂糖, '시'는 소금塩, '스'는 식초酢, '세'는 간장醤油, '소'는 된장味噌를 의미하며, 이 순서대로 음식에 넣는 것이 재료 본연의 맛을 제일 잘 끌어낼 수 있는 조리법으로 알려져 있습니다. 구체적으로 말하자면 일본 요리는 항상 설탕, 즉 당분을 처음에, 된장을 맨 마지막에 넣는 것이 원칙입니다.

둘.
일본 가정의
식탁 예절

part
01

1. 감사 인사 | 일본에서는 식사 전후에 감사의 인사말을 하는 것이 중요합니다. 식사 전에는 잘 먹겠다는 의미의 "이다타키마스 いただきます"라고 말하고, 식사 후에는 잘 먹었다는 의미인 "고치소사마 ごちそうさま"라고 말합니다.

음식을 만든 사람에 대한 예의와 음식에 대한 수중함과 감사를 표현하는 뜻이 담겨 있습니다. 초대받은 식사 자리뿐 아니라 일본 가정의 평소 생활에서도 일반적으로 이루어지고 있는 식탁 예절이에요.

2. 음식은 남기지 않는다 | 일본에서는 가정은 물론 식당에서도 음식 남기는 것을 결례로 생각합니다. 음식을 만든 사람에 대한 실례이기도 하고 같이 식사하는 다른 분들에게도 나쁜 이미지를 줄 수 있기 때문입니다. 음식의 양이 평소 자신이 먹는 양보다 많을 경우에는 사전에 양해를 구하고 덜어 놓는 것이 좋습니다.

3. 젓가락 사용법 | 젓가락은 가로로 길게 눕혀 놓는데, 양손으로 들고 양손으로 내려놓으세요. 젓가락을 입에 물거나 이로 깨물지 않도록 하고, 포크처럼 음식을 찍어 먹지 않습니다. 젓가락을 들고 음식을 고르거나 쓰던 젓가락으로 음식을 집어 다른 사람에게 전달하지 않아야 합니다. 나무젓가락을 사용했다면 식사를 마친 뒤 젓가락이 담겨 있던 봉투에 끼워 넣습니다.

4. 생선 먹는 방법 | 생선은 뼈째 반 잘라서 먹지 않도록 하고, 한 면을 먹고 난 뒤에는 뒤집지 말고 뼈를 걷어낸 다음 다른 면을 먹어야 합니다. 생선과 함께 레몬이 나왔다면 오른손으로 레몬을 들고 왼손으로 레몬을 감싸 레몬즙이 튀기지 않게 짜는 것이 좋습니다. 생선 껍질을 먹지 않을 경우에는 돌돌 말아서 접시 한쪽에 두세요.

5. 초밥 먹는 법 | 초밥은 손이나 젓가락으로 들어 올린 뒤 밥에 간장을 묻혀서 먹습니다. 한입에 먹기에 큰 초밥은 젓가락으로 반 잘라서 먹고, 여러 개의 초밥이 하나의 접시에 놓여 있는 경우 한쪽부터 하나하나 집어 먹도록 합니다. 회덮밥이나 치라시스시**ちらし寿司**의 경우 섞거나 골라 먹지 않고 최대한 모양을 유지하면서 한쪽 방향부터 먹는 게 좋아요.

6. 올바른 자세 | 허리를 바르게 편 뒤 손으로 그릇을 들고 먹습니다. 그릇과 젓가락을 동시에 드는 경우, 젓가락을 먼저 두 손으로 든 다음 한쪽 손으로 옮겨 잡고, 다른 한 손으로 그릇을 들어 바른 자세를 유지하며 먹어야 합니다. 그릇을 겹쳐서 정리하듯 놓지 않고, 밥상이 차려졌던 처음의 모양으로 놓고 식사를 마치는 게 좋아요. 젓가락은 옆사람에게 실례가 되지 않도록 항상 가로 방향으로 놓아둡니다.

셋.
# 일본 요리의 기초

1.

일본 요리 고수되는 법

**재료 고르기부터가 요리의 시작** | 식재료를 잘 골랐다면 일본 요리의 반은 성공했다고 할 수 있어요. 사실 좋은 재료 고르기는 그리 어렵지 않아요. 그 재료의 특징이 뚜렷한 것을 고르면 되는데, 빨간 것은 확실히 빨개야 하고, 푸른 것은 선명한 푸른색이어야 합니다. 너무나도 당연한 소리 같지만 진리와 해답은 바로 이 당연함 속에 있어요. 그 다음에는 모양을 봐야 합니다. 당근은 삼각형 모양을 하고 있는 것이 맛있고 사과는 모나지 않은 둥근 것이 맛있지요. 이렇게 각각의 재료가 본연의 모습을 확실히 갖고 있는 싱싱한 것이면 충분합니다.

**재료에 어울리는 국물 준비** | 일본 요리에서는 다시마 국물을 반찬이나 소스 등에 다양하게 활용합니다. 때문에 제대로 된 일식을 즐기기 위해서는 다시마 국물을 잘 만들어야 하지요. 일본에서 주로 먹는 국물은 3가지입니다. 다시마와 멸치를 넣어 만드는 멸치 국물, 표고버섯과 다시마를 넣어 만드는 버섯 국물, 그리고 다시마와 가쓰오부시를 넣어 만드는 가쓰오부시 국물이 그것입니다. 생선이나 고기 요리는 버섯 국물을 사용하고, 채소 요리에는 가쓰오부시 국물을 주로 사용합니다. 버섯 국물의 경우 끓이지 않고 물에 버섯을 오랜 시간 담가 두어 우리는 것이 특징입니다. 가쓰오부시 국물은 가쓰오부시를 오래 끓이지 않고 건져야 비린내를 줄일 수 있습니다.

**간을 잘 맞추는 것이 요리의 완성** | 간은 요리에서 가장 중요한 단계라고 해도 과언이 아닙니다. 일본에서는 '아지와시오가겐味は塩加減'이라는 말을 많이 쓰는데 '맛은 소금의 양에 달려 있다'는 뜻입니다. 일본에서는 가정은 물론이거니와 아무리 유명한 요리사도 맛을 확인하는 작업을 게을리 하지 않습니다.

간 맞추기에서는 소금을 적절하게 넣어야 하는 것은 물론 언제 넣는지도 중요합니다. 같은 양의 소금도 넣는 때에 따라 간이 달라질 수 있으므로 단계별로 3번으로 나누어 간을 합니다. 처음에 하는 밑간은 재료 깊숙이 침투해 맛 성분을 끌어내거나 불필요한 잡맛을 없애는 역할을 하고, 중간에 하는 간은 재료의 맛을 확인하는 간보기이므로 맛을 보아 싱겁게 느껴지는 정도가 적절합니다. 재료 본연의 맛이 염분과 잘 섞이고 있는지 확인한 다음 마지막으로 간을 해 풍미를 돋웁니다. 간을 조금씩 나누어서 하면 짜지 않아 염분 섭취도 줄고 간이 재료 속까지 잘 배어 맛있는 요리를 만들 수 있어요. 다단계 간 맞추기는 소금이나 간장 같은 염분만이 아니라 설탕 같은 당분을 사용할 때도 적용하면 좋습니다.

1.

2.

3.

4.

5.

2.

일
본
식

밥

일본식 밥은 고슬고슬하면서 쫀득한 식감이 특징입니다. 쌀 종류는 무척 다양한데, 그중 가장 사랑받는 품종은 윤기가 흐르고 쫀득한 맛이 특징인 고시히카리 **コシヒカリ**입니다. 백미를 가장 즐겨 먹지만 요즘은 현미나 잡곡을 많이 먹는 추세입니다. 또한 제철 채소와 콩을 넣고 지은 영양밥도 자주 먹곤 합니다.

찹쌀을 약간 섞어서 밥을 지으면 더 맛있어요. 밥을 지을 때는 쌀을 미리 불리는 과정이 중요한데 여름에는 30분 정도, 겨울에는 1시간 성노, 현미는 2시간 정도가 적당합니다. 너무 오래 불리면 단맛이 빠져 맛과 식감이 떨어지고, 불리지 않고 밥을 하면 수분 부족으로 속이 딱딱해 식감이 떨어지기 때문입니다. 불린 백미는 쌀과 물을 같은 분량으로, 현미는 1.2배를 기준으로 넣고 지어요.

**재료(3~4인분)**

쌀·물 2컵씩

**만드는 법**

1. 쌀을 깨끗이 씻어 체에 밭친 뒤 물기를 뺀다.
2. 냄비에 쌀을 담고 동량의 물을 붓는다.
3. 뚜껑을 덮고 겨울에는 1시간, 그 외 계절에는 30분 정도 불린다.
4. 냄비를 가스불에 올리고 약불에서 3분, 강불에서 8분, 중불에서 5분, 약불에서 5분간 끓인다.
5. 불을 끄고 5~10분 정도 뜸을 들인다.

1.

2.

3.

4.

5.

## 3. 일본식 된장국

일본 국의 기본은 된장국입니다. 된장국을 끓일 때는 다시마와 가쓰오부시를 우린 가쓰오부시 국물을 즐겨 사용합니다. 된장국은 백된장과 혼합 된장 2가지를 흔히 사용하며 백된장이 조금 더 단맛이 납니다. 부재료는 두부, 미역, 파 등을 기호에 맞게 가감하면 됩니다.

일본 된장국의 기본은 미소시루**味噌汁**입니다. 한국 된장은 콩을 발효시켜 만들기 때문에 짠맛이 강한 데 반해 일본 된장은 쌀, 현미, 보리와 같은 곡물을 발효시켜 만들기 때문에 단맛이 나는 것이 특징입니다. 백된장은 누룩의 함량이 많아 단맛이 더 강합니다. 된장국은 대부분 중간색인 혼합 된장을 사용합니다.

········································································

### 재료(3~4인분)

물 4컵, 다시마 10×10cm 1장, 가쓰오부시 4~5g,
두부 1/2모, 된장 1과 1/2큰술

········································································

### 만드는 법

1. 냄비에 물을 붓고 다시마를 넣어 끓인다.
2. 물이 끓으면 다시마를 건져낸다.
3. 약불로 줄인 뒤 가쓰오부시를 넣고 가라앉기 시작하면 체로 건진다.
4. 깍둑썰기한 두부를 넣고 한소끔 끓인다.
5. 두부가 익으면 체를 이용해 된장을 풀고 바로 불을 끈다.

넷.
기본 재료와 양념

part
01

**가쓰오부시(가초오부시かつおぶし)**

가쓰오부시는 고등엇과의 바닷물고기인 가다랑어를 훈제해서 딱딱하게 말린 생선 덩어리를 간 것을 말합니다. 화학첨가물 없이 생선을 훈제와 건조라는 과정을 통해 만든 천연 그대로의 맛 성분으로 일본 요리에서 빠질 수 없는 재료이며, 국물 맛을 내는 데 주로 사용합니다.
일본에서 판매되는 가쓰오부시는 모두 화학첨가물 없이 만든 것이라 어떤 제품을 구매해도 좋습니다.

**말린 표고버섯(호시시이다케干し椎茸)**

일본에는 말린 표고버섯을 이용한 요리가 많은데, 무엇보다 국물 맛을 내는 데 자주 사용합니다. 태양에 말린 것과 적외선으로 말린 것 2가지가 있는데 햇빛에 말린 것이 고급입니다.

### 다시마(곤부昆布)

일본 요리에 꼭 필요한 재료 중 하나입니다. 전통 일본 요릿집에서는 차별화된 좋은 다시마를 사용하는 것을 대단한 프라이드로 여기고, 일본 곳곳에는 아직도 다시마 전문 상점이 있습니다. 다시마는 깨끗한 행주로 살살 닦거나 흐르는 물에 살짝 씻어 먼지만 제거하고 사용합니다. 일본에서는 북해도산 다시마가 유명하고 맛있으며, 국물용으로 딱 맞게 10cm 크기로 잘려 있는 것을 구입하면 사용하기 편리합니다.

2.

장·소금·설탕·식초

### 된장(미소味噌)

일본 된장은 콩을 삶아서 으깬 뒤 고지麴라는 누룩과 소금을 넣고 발효시킵니다. 재료와 만드는 과정은 간단하지만 그 종류는 수백 가지가 넘을 만큼 다양합니다. 된장은 콩과 누룩의 종류, 소금의 양, 발효 기간과 발효 온도, 그리고 공기 중의 성분에 따라 맛과 종류가 달라지죠. 흰콩으로 담그는 것이 일반적이지만 검은콩으로도 담그며, 누룩을 많이 넣을수록 된장에서 단맛이 납니다. 또한 보리누룩보다는 현미누룩, 현미누룩보다는 흰쌀누룩을 사용한 된장의 당분이 높습니다.

일본 된장은 크게 3가지로 나눌 수 있어요. '시로미소白みそ'라는 백된장, '아카미소赤みそ'라는 빨간 된장, 그리고 '아와세미소合わせみそ'라는 혼합 된장이 그것입니다. 일본에서 된장국이나 요리에 가장 일반적으로 쓰이는 것은 혼합 된장인 아와세미소입니다. 아와세미소는 다양한 브랜드에서 판매하고 있는데, 중요한 것은 상표가 아닌 원료입니다. 원료를 보면 가쓰오부시 국물 맛이나 다시마 국물 맛이 첨가된 맛된장이 있는데 이것은 피하는 것이 좋아요. 다른 첨가물을 넣지 않고 콩大豆, 누룩麴, 소금塩으로만 만든 된장이 어떤 브랜드의 제품이든 맛있기 때문입니다.

일본 된장은 염분이 5~12% 함유된 것이 일반적인데 시판 된장의 패키지에 적힌 염분 함유량을 확인하고 취향에 맞게 선택하세요. 일본 된장은 좀 달다고 생각하는 경향이 있는데, 일본에는 단 된장이 있다는 것이 더 정확할 것입니다. 일본 된장 중 백된장인 시로미로의 맛이 가장 단데, 이는 흰쌀누룩을 많이 넣어 만들었기 때문이에요. 단맛이 나는 백된장으로는 주로 소스나 반찬을 만들어요. 설탕이 들어가는 음식에 넣으면 설탕을 쓰지 않거나 줄일 수 있습니다.

## 간장(쇼유醬油)

일본 간장은 여러 종류가 있지만 크게 국간장인 '우스구치쇼유薄口醬油'와 진간장인 '고이구치쇼유濃口醬油' 2가지로 나눌 수 있습니다. 우스구치쇼유는 국물을 내는 데 주로 사용하는데, 소금의 함량이 높아 색이 옅어도 맛이 짜기 때문에 짙은 간장 색을 피하고 싶은 요리에 사용하기 적당합니다. 고이구치쇼유는 조림처럼 맛깔스러운 간장 색을 낼 때 사용하기 좋습니다. 맛간장인 '쯔유つゆ'(쯔유는 간장에 미린, 청주, 설탕, 가쓰오부시 국물 등 여러 가지 재료를 혼합해서 만든 것으로 메밀국수를 비롯해 다양한 일본 요리에서 빠질 수 없는 양념간장입니다)까지, 일본 요리에서는 이렇게 3가지 종류의 간장을 사용합니다.

요리할 때 신간장만 사용해도 무방하며, 국물 요리는 진간장과 소금을 섞어 국간장을 대신하면 좋아요. 진간장과 소금을 섞어 간하면 국간장을 사용한 것처럼 국물 색이 옅고 텁텁하지 않으며 더 깔끔한 맛이 나기 때문입니다. 시판 쯔유는 화학첨가물이 들어 있거나 단 제품이 많으므로 집에서 만들어 먹는 것이 더 좋습니다.

● 쯔유 만드는 방법은 p29에 소개되어 있습니다.

## 식초(스酢)

일본 요리에 주로 사용하는 식초는 쌀식초인데, 흰쌀로 만든 식초를 '준마이스純米酢', 현미로 만든 식초를 '겐마이스玄米酢'라고 합니다.

일본의 전통 식초는 쌀과 누룩만으로 만들기 때문에 산도가 4∼4.5%로 비교적 낮은 편이에요. 이렇게 산도가 낮은데도 일본 전통 요리에서는 바로 사용하지 않고 반드시 한 번 끓여서 산미를 날려 보낸 뒤 사용합니다. 이 방법으로 조리하면 날카롭지 않고 부드러운 단맛이 돌게 됩니다. 전통적인 방식의 초밥을 만들 때는 식초에 소금과 설탕을 넣고 한 번 끓인 '스시즈すし酢'를 사용합니다.

## 설탕(사토砂糖)

일본에서는 백설탕, 황설탕, 흑설탕, 각설탕, 메이플 설탕 등 다양한 종류의 설탕을 판매하고 있습니다. 설탕은 다양한 종류만큼이나 용도도 각각 다른데, 일본 가정에서는 보통 백설탕과 황설탕 2가지를 사용합니다. 집집마다 취향에 따라 사용하는 설탕의 종류가 다르지만 양은 입맛에 맞게 조절해서 넣는 것이 좋습니다. (이 책의 요리 재료에서 '설탕 약간'이라고 표시한 것은 기호에 따라 넣지 않아도 됩니다.)

● 일본 설탕 중에서는 오키나와현에서 재배한 '유나 OKINAWA yuuna沖縄黒砂糖'라는 흑설탕이 맛있어요. 정제된 백설탕이나 다른 흑설탕과 비교해 보았을 때 단연 영양 성분이 뛰어나며 혼탁함이 없는 고급스러운 단맛을 가지고 있습니다. 약간 구수하면서 깊은 맛이 나는 설탕인데 다른 설탕에 비해 가격이 비싼 편이에요.

## 소금(시오塩)

일본 가정에서 일반적으로 사용하는 소금은 약간 촉촉한 '아라지오粗塩'입니다. 한국에서는 김치를 담그거나 절임을 할 때 보통 굵은소금을 사용하는데, 일본에서는 '츠케모노'라는 절임 요리에도 일반 소금인 아라지오를 사용합니다. 하지만 저는 일반 소금 아라지오와 구운 소금인 '야키지오焼き塩' 2가지를 사용합니다. 아라지오는 절임을 할 때나 소금으로 씻어내는 요리에 사용하고, 구운 소금은 국이나 볶음, 찍어 먹는 음식에 사용합니다.

● 저렴한 소금인 아라지오는 아지노모토AJINOMOTO 회사 제품, 구운 소금인 야키지오는 오키나와현沖縄県에서 만드는 아그노시오粟國の塩를 사용합니다.

향신 재료

쌀

### 3. 청주(사케酒)

일본에서는 요리에 쓰는 술을 '요리술(료리슈料理酒)'이라고 하는데 이것 없이는 요리를 할 수 없을 정도로 중요한 재료입니다. 우리나라의 청주 계열 술로 '사케'처럼 맑고 투명한 색이 특징입니다. 하지만 간혹 엷은 갈색이 도는 제품도 있습니다.

청주는 고기나 생선의 잡내를 없애고, 음식의 향을 돋우고, 맛에 깊이를 주고, 간장처럼 다른 양념과 식재료의 맛이 어우러지게 하고, 재료의 모양과 색을 잡아 주는 역할을 합니다.

### 미림(미린みりん)

미림은 소주에 찐 찹쌀과 누룩을 넣어서 발효시켜 단맛이 나는 맛술로 살짝 노란빛이 도는 것부터 엷은 갈색 또는 약간 짙은 갈색을 띠는 것까지 다양합니다. 요리에 단맛을 내고 윤기가 돌게 하지만 설탕과는 맛이 다릅니다. 설탕보다 부드럽고 맛 성분이 있는 것이 특징이에요. 미림에 들어 있는 알코올 성분은 식재료의 모양이 흐트러지는 것을 방지하고, 고기의 누린내나 생선의 비린내를 없애는 역할을 합니다. 데리야키 소스 등을 만들 때 미림을 넣으면 약간 단맛이 나며, 윤기가 돌고, 잡내가 없어집니다.

### 조청(미즈아메水飴)

일본 조청은 주로 쌀과 엿기름으로 만듭니다. 일본 가정에서는 보통 설탕을 사용하므로 요리에 꼭 필요한 재료는 아니지만, 조청을 사용해 설탕의 양을 줄이면 요리가 한결 깊은 맛이 납니다. 조청은 농도를 맞추기가 편하고, 맛에 깊이를 주며, 설탕에 비해 몸에 부담도 적어 주로 조림을 할 때 사용합니다. 조청은 흰쌀로 만든 하얀 조청과 현미로 만든 갈색 조청 2가지가 있어요.

● 오사와Ohsawa라는 상표의 현미조청을 추천합니다.

### 4. 쌀

일본은 쌀의 품종이 다양합니다. 잘 알려진 고시히카리를 비롯해 히노히카리, 히토메보레, 기노히카리 등 수많은 종류의 쌀이 있는데 쌀을 얼마나 깎았느냐에 따라 현미, 5분도미, 7분도미, 백미로 나뉩니다. 가정에서는 흰쌀이나 현미밥을 먹는 것이 일반적이지만 5분도미나 7분도미로 밥을 지어 먹는 사람도 많습니다. 일본은 쌀의 신선도를 중요시해 5kg이나 3kg 등 적은 양으로 포장된 것을 구입하며, 주택가에서 쌀을 정미하는 도정 자동판매기를 흔히 볼 수 있을 정도로 밥맛을 중요하게 생각합니다.

양념 재료

### 고추냉이(와사비わさび)

고추냉이는 일본의 냇가나 강가에서 잘 자라는 식물로 뿌리 부분을 갈아 회와 곁들이거나 향신료로 사용합니다. 고추냉이는 기름, 색소, 방부제 등을 넣는 가공 과정을 거쳐 페이스트형 튜브로 판매되고 있습니다. 화학첨가물이나 색소 방부제가 들어가지 않은 천연 제품도 있으나 일반적이지는 않습니다. 천연 제품은 냉동 상품으로 판매되며, 가공되지 않은 고추냉이는 채소 코너에서 구입할 수 있습니다.

### 연겨자(가라시からし)

일본의 연겨자는 작은 겨자의 갈색 씨를 갈아 기름, 향신료를 첨가해서 반죽한 것입니다. 일본에서는 고추냉이와 함께 연겨자를 즐겨 먹습니다. 가다랑어 같은 특정한 회나 어묵은 고추냉이가 아닌 연겨자를 곁들이는 것이 일반적입니다. 또한 '츠케모노漬物'라는 절인 채소 음식이나 반찬에도 겨자를 넣는 경우가 많아요. 연겨자는 자칫 밋밋해질 수 있는 일본 음식에 악센트를 주어 식욕을 돋우는 중요한 역할을 합니다.

### 시치미(시치미도가라시七味唐辛子)

시치미는 고춧가루, 검은깨, 김가루 등 7가지 향신료를 섞어 만든 양념 고춧가루입니다. 제품에 따라 섞는 향신료의 종류와 비율이 약간씩 달라 맛도 다릅니다. 하지만 향신료는 반드시 7종류가 들어가야 하며 고춧가루는 항상 첨가되는 것이 특징이에요.

일반적인 제품부터 고급 제품까지 품질이 다양하며, 보통 우동 같은 국수류, 달걀덮밥이나 돈부리 등 덮밥 요리의 양념으로 자주 사용합니다.

● 일본에서 가장 일반적이고 대표적인 시치미 상표는 에스엔비 회사에서 만드는 작은 유리병 제품입니다.

### 산초가루(산쇼山椒)

산초가루는 후춧가루와 비슷하게 강하고 매콤한 향이 나는 향신료입니다. 비린내를 없애고 식욕을 돋우기 위해 주로 사용합니다. 일본에서는 생선 요리나 미역 같은 해초 요리, 그리고 여름 음식에 많이 쓰여요. 산초가루는 사용 방법이 정해진 것이 아니라 우리나라의 고춧가루처럼 개인의 취향에 맞게 사용합니다. 메밀국수나 우동을 파는 일본 식당에 가면 시치미와 산초가루가 항상 테이블에 놓여 있어요. 시치미처럼 국수나 덮밥에 뿌려 먹어도 맛있답니다.

매실장아찌

락교

산초

발효 된장

### 매실장아찌(우메보시梅干し)

일본의 매실장아찌 중 가장 일반적인 것은 흰 매실과 붉은 매실로 만든 장아찌로, 흰색 매실장아찌는 '시로우메보시白梅干し', 붉은색 매실장아찌는 '아카지소츠케赤じそ漬け'라고 합니다. 5~6월경에 나오는 잘 익은 매실을 깨끗하게 씻어 꼭지를 따고 물기를 닦은 뒤 소금을 넣고 무거운 것으로 눌러 절인 다음 태양에 말린 것이에요. 말린 직후에는 주름이 지고 표면이 꼬들꼬들하지만, 병에 담아 일주일 정도 두면 매실 진액이 나와 촉촉해져 바로 먹을 수 있어요. 보통 1년 정도 먹을 수 있는데, 장마가 끝난 후 다시 3일 정도 말리면 3~5년 정도 냉장고에 두고 먹을 수 있어요. 밥과 함께 먹어도 좋고, 잘게 다져서 주먹밥을 만들어도 맛있어요. 도시락 반찬으로도 많이 쓰이지요. 죽을 끓인 뒤 넣거나 생선을 조릴 때 넣으면 비린내를 없애 맛있는 조림을 완성할 수 있어요. 고기를 양념장에 잴 때 넣으면 잡내를 없애고 고기의 질감을 부드럽게 해 줍니다. 장아찌의 새콤함을 줄이고 싶을 때는 미림이나 꿀을 넣으면 됩니다.

### 락교(라쿄らっきょう)

락교는 5~6월경에 만들어 1년 내내 두고 먹는 저장 음식으로 카레와 잘 어울리는 초절임 반찬이에요. 만드는 방법도 간단해요. 깨끗이 씻어 물기를 없앤 락교에 식초, 소금, 설탕을 끓여서 식힌 후 붓고, 통후추 몇 알과 마른 고추를 1개 정도 넣어 냉장고에서 2개월 정도 익히면 됩니다. 밑반찬처럼 밥과 먹는 게 일반적이지만 초밥에 넣거나 잘게 채썰어 샐러드에 넣어도 맛있어요.

### 산초(산쇼山椒)

일본에서는 산초 열매를 '산쇼노미山椒の実'라고 하며 향신료로 사용합니다. 산초 열매를 깨끗이 손질해서 물에 넣고 한소끔 끓인 다음 산초를 건져 찬물에 하룻밤 담가 두었다가 물기를 빼고 간장, 청주, 미림을 넣고 조려 보관합니다. 후추나 고추냉이처럼 톡 쏘는 매콤한 맛이 특징이에요. 산초는 멸치볶음에 가장 많이 사용하며, 생선찜이나 조림에도 넣어 먹어요. 고춧가루처럼 매콤한 맛을 낼 때 약간씩 넣으면 됩니다. 간장에 절인 산초를 판매하기도 해 기호에 맞게 구입할 수 있어요.

### 발효 된장(미소味噌)

검은콩을 삶아 으깬 뒤 소금, 현미누룩, 보리누룩을 넣고 발효시킨 된장입니다. 흰콩으로 만든 된장보다 색이 진하고 구수하며 깊은 맛이 나고, 검은콩과 현미가 어우러져 달콤한 맛이 나는 것이 특징이에요. 일본에서 일반적으로 사용하는 된장은 아니지만, 만들어 두고 양념된장으로 활용합니다. 채소와 잘 어울려 쌈장으로 먹기에도 좋아요.

part
01

다섯.
반시네
천연 국물과 양념

1.

천연 양념 이야기

대부분의 양념은 직접 만들어 사용합니다. 저희 가족은 화학첨가물이 들어간 음식에 민감한 편이라 가공된 음식을 먹으면 느끼하고 짜고 달게 느껴집니다. 그래서 가족의 입맛에 맞게 요리를 하기 위해 양념을 만들기 시작했습니다. 시판하는 양념과 가공식품을 하나둘 사다 보면 쇼핑할 것이 많아 장보기가 복잡하고 지출이 커지게 되지요. 또한 냉장고 속에서 오래 자리를 차지하다 유통기한이 지나 버리고 마는 경우도 많구요. 플라스틱과 같은 쓰레기가 많이 나오는 것도 마음이 편치 않았습니다. 양념을 만들어 쓰면 지출도 줄고 환경에도 도움이 됩니다.

시판 제품은 간장, 소금, 식초, 미림, 청주 등 아주 기본적인 것만 구입합니다. 그리고 쯔유, 마요네즈, 돈가스 소스, 폰스, 케첩 등은 직접 만들어서 사용합니다. 홈메이드 양념은 맛있고 믿을 수도 있지만 다양하게 응용이 가능하고 원하는 양만 만들 수 있다는 것도 장점입니다. 가족이 즐겨 먹는 것은 많이 만들고, 가끔 조금만 사용할 것은 적게 만들면 남아서 버리는 일이 없습니다. 집에서 만든 양념은 맛이 깔끔해 다른 음식에 넣어도 조화로운 맛을 연출할 수 있지만 시판 양념은 다른 목적으로 응용하기가 쉽지 않습니다.

집에서 양념을 만들 때는 담는 용기를 끓는 물에 소독한 뒤 물기가 없도록 말려서 사용해야 오래 두고 먹을 수 있습니다. 또한 덜었다 다시 담거나 물기나 침이 들어가면 쉽게 상할 수 있으므로 주의해야 합니다. 청결하게 관리만 잘하면, 저장양념으로 오래 보관할 수 있습니다.

### 01. 다시마 국물

다시마 국물은 맛이 깔끔해 채식 밥상을 차릴 때, 고기나 생선이 주가 되는 요리를 할 때 사용하면 맛과 영양의 균형을 맞출 수 있어요. 찬물에 다시마를 오랫동안 담가 우리는 게 일반적이지만, 시간이 없을 때는 미지근한 물에 다시마와 마른 표고버섯을 담가 2시간 정도만 우리면 됩니다. 냉장고에는 3~4일, 김치냉장고에는 1주일 정도 보관 가능해요.

● 물 4컵에 10×10cm 다시마 1장과 마른 표고버섯 2~3개를 넣고 하룻밤 불린 뒤 다시마와 버섯을 건져낸다.

### 02. 가쓰오부시 국물

일본 요리에서 빠질 수 없는 기본 국물입니다. 가쓰오부시 국물은 맛과 향이 비교적 강해 고기나 생선 없이도 만족스러운 상을 차릴 수 있습니다. 국물뿐 아니라 조림 등의 요리에 다양하게 사용합니다. 냉장고에는 3~4일, 김치냉장고에는 1주일 정도 보관 가능합니다.

● 물 4컵에 10×10cm 다시마 1장을 30분 정도 담가 두었다가 중불로 끓인다. 물이 끓으면 다시마를 건져내고 약불로 줄인 다음 가쓰오부시를 3~5g 정도 넣는다. 가쓰오부시가 물에 가라앉기 시작하면 불을 끄고 체로 건져낸다.

### 03. 쯔유

시판 쯔유의 화학첨가물이나 당도가 입맛에 맞지 않는다면 집에서 만들어 보세요. 방부제를 넣지 않아도 냉장고에 보관하면 1~2개월 이상 먹을 수 있는 맛간장입니다. 2개월 이상 두고 먹어야 할 경우에는 다시 한 번 끓이면 됩니다. 하지만 2번 끓이면 향이 날아가 맛이 떨어지므로 1개월 정도 먹을 분량만 만들어 사용하는 것이 좋습니다. 홈메이드 쯔유는 물을 섞으면 염도는 낮아지지만 맛은 유지되므로 입맛에 맞게 조절해서 먹을 수 있습니다.

● 간장 3컵, 10×10cm 다시마 1장, 가쓰오부시 10~15g, 마른 표고버섯 2~3개, 미림·청주 1/2컵씩을 냄비에 담아 하룻밤 그대로 둔다. 다음 날 이것을 중불로 끓이다가 거품이 생기기 시작하면 불을 끄고 서서히 식힌 다음 체로 거른다. 끓는 물로 소독한 뒤 물기를 말끔히 제거한 유리병에 담아 냉장고에 보관한다.

### 04. 폰스

폰스는 유자와 간장으로 만드는 간단한 초간장입니다. 유자 대신 레몬이나 라임처럼 산미가 있는 과일을 사용해도 됩니다. 폰스는 주로 냄비 요리의 소스로 사용하는데, 일본식 냄비 요리는 간을 싱겁게 한 뒤 폰스에 국물을 조금씩 넣어가며 각자 입맛에 맞게 농도와 산미를 조절해서 먹는 게 특징입니다. 또 간이 거의 되지 않은 재료를 폰스 소스에 찍어 먹는데, 짜다고 물을 넣지 말고 적당한 양을 찍어 먹어야 맛있습니다. 냉장고에 일주일 정도 보관이 가능하지만 만드는 방법이 간단하므로 그때그때 만들어 먹는 것이 좋습니다.

● 간장 1/2컵에 유자즙(또는 레몬즙)을 3큰술 넣고 섞는다.

### 05. 두부 마요네즈

두부 마요네즈는 맛이 담백하고 고소해 많은 양을 먹어도 부담이 없어요. 일반 마요네즈를 대신하거나 드레싱으로 사용해도 좋습니다.
두부 마요네즈는 일반 마요네즈보다 기름을 적게 사용해 뒷맛이 깔끔합니다. 오래 보관하면 약간 묽어지거나 분리될 수 있지만 다시 잘 저으면 본래의 모양으로 돌아옵니다. 취향에 따라 호두나 곱게 빻은 깨를 같이 넣으면 더욱 고소하고 맛있어요. 냉장고에 1주일 정도 보관 가능합니다.

● 물기를 짠 두부 1/2모, 식용유 3~5큰술, 식초 1/2큰술을 프로세서에 넣고 간다.

### 06. 깨 소스

일본에서 인기 있는 소스 중 하나가 깨 소스로 크게 3가지 종류로 나눌 수 있습니다. 깨 국물인 '고마다래胡麻垂れ'는 샤브샤브 같은 냄비 요리에 주로 사용하고, 깨 드레싱인 '고마도레싱그胡麻ドレッシング'는 샐러드에 곁들이며, 깨 소스는 드레싱보다 좀 더 걸쭉한 상태를 말합니다. 기본이 되는 깨 소스를 만든 다음 올리브유, 식초, 사과, 키위 등을 입맛에 맞게 넣고 믹서에 갈면 고마도레싱그가 되고, 깨 소스에 된장을 조금 풀고 다시마 국물을 섞어 농도를 연하게 만들면 고마다래가 되지요. 사실 일본 가정에서는 깨를 갈아서 쓰지 않고 '네리고마ねりごま'라는 깨 페이스트를 주로 사용하지만 자연식을 하는 경우에는 통깨를 갈아서 사용합니다.

● 아주 곱게 간 깨와 가쓰오부시 국물(또는 다시마 국물)을 1:2 비율로 넣고 섞은 다음
  2:1 비율로 섞은 간장과 꿀(또는 메이플시럽)을 넣고 함께 섞는다.

### 07. 돈가스 소스

돈가스 소스도 만들어 두면 볶음 국수, 야키소바, 오코노미야키, 햄버그스테이크 등 다양한 요리에 만능 소스처럼 활용할 수 있답니다. 굴소스나 우스터 소스 등을 첨가해도 좋지만 토마토를 넣으면 소스의 색감이 더욱 좋아져요.

● 양파 60g을 잘게 썰어 기름을 약간 두른 팬에 연한 갈색이 날 때까지 볶다 밀가루 1큰술을 넣고 조금 더 볶는다. 여기에 잘게 썬 사과 60g을 넣고 볶다 토마토소스 100g을 넣고 잘 저은 뒤 설탕·꿀·조청 1작은술씩과 소금 1/2작은술을 넣고 저어가며 끓인다. 끓으면 간장·식초 50ml씩과 와인 100ml를 넣고 잘 저어가며 조린다. 원하는 농도로 걸쭉해지면 체에 거른다.

### 08. 데리야키 소스

데리야키는 윤기 나게 구운 음식을 말하며, 그 음식을 만들기 위한 소스가 데리야키 소스입니다. 우리가 불고기 양념장을 만들어 저장해 놓지 않고 불고기를 만들 때 바로 준비하듯, 일본에서도 데리야키 소스를 따로 만들어 놓지 않고 요리를 하면서 만드는 것이 일반적입니다. 저장식 양념이라 미리 만들어 냉장고에 두고 편리하게 사용할 수 있으며, 저장 기간은 1~2개월 정도입니다.

● 냄비에 간장 1컵, 청주·미림 1/2컵씩, 설탕을 약간 넣고 섞은 다음 불에 올려 한소끔 끓어오르면 불을 끄고 식힌다.

### 09. 빵가루

빵가루가 들어가는 일본의 대표 음식은 돈가스, 크로켓, 햄버그스테이크, 그리고 크리스마스의 대표 메뉴인 미트로프Meatloaf입니다. 이런 요리들은 빵가루가 맛있어야 음식도 맛있는데, 집에서 구운 빵으로 빵가루를 만든 다음 냉동실에 보관하면 편리하게 사용할 수 있습니다.
부드러운 빵이나 먹다 남은 빵을 말려서 프로세서에 돌리면 됩니다. 빵을 살짝 말려서 만든 빵가루는 더 오래 보관할 수 있다는 장점이 있습니다. 빵가루를 거칠고 크게 갈면 기름을 더 많이 흡수해 칼로리가 높아지므로 살짝 말린 빵으로 곱게 가는 방법을 추천합니다.

● 빵을 작게 뜯어서 채반에 펼쳐 바람이 잘 통하는 그늘진 곳에서 하루 정도 말린 다음 프로세서에 넣고 곱게 간다.

여섯.
요리 고수되는
조리 도구

part
01

찜통&밥통

대나무 발

나무 도마

나무 채반

1.

일본 요리 필수 도구

### 찜통 & 밥통

일본인들에게 찜통은 대대손손 물려주는 소중한 주방 도구입니다. 저도 시어머니께서 물려주신 커다란 찜통이 있는데, 잘만 사용하면 쓰면 쓸수록 음식 맛이 좋아지기 때문에 오래된 찜통에 많은 가치를 둡니다. 채소나 떡을 찔 때는 지름 20cm 정도의 찜기, 특별한 날 먹을 찰밥이나 찐빵 등을 찔 때는 30cm 이상의 큰 것을 사용합니다.

찜기와 함께 자주 사용하는 또 하나는 '오히츠**おひつ**'라는 보관용 밥통입니다. 어머니 세대에는 누구나 가지고 있던 주방의 필수 도구였는데 좋은 전기밥솥이 나오면서 한동안 잊었다가 요즘 다시 젊은 층에서 상당한 인기를 끌고 있는 물건입니다. 밥을 해서 오히츠에 넣어 두면 수분 조절이 돼 하루 종일 밥을 맛있게 보관할 수 있습니다.

### 대나무 발

대나무 발은 작은 것과 중간 것, 2가지를 사용하는 게 좋습니다. 작은 것은 꼬마김밥을 만들거나 달걀말이를 할 때 사용하면 요긴해요. 대나무 발은 김밥뿐 아니라 강정이나 샌드위치, 곶감말이, 떡 등 둥근 모양을 낼 때 다양하게 활용할 수 있어요. 사용 후 물에 담가 두지 말고 바로 씻어서 그늘에 말리면 모양이 틀어지거나 세균이 번식되는 것을 막을 수 있어요.

### 나무 도마

도마는 여러 개를 번갈아 사용하는 것이 좋습니다. 수많은 도마 중 가장 마음에 드는 것이 '아오모리히바**青森ひば**'라는 도마로 나무 자체에 균을 죽이는 소독력이 있고, 물에 강하며, 건조가 빨라 천연 나무인데도 불구하고 곰팡이가 생기는 경우가 없습니다. 칼과의 응집력이 좋아 음식을 썰 때 느낌도 좋고 미끄러지지도 않아 썰기가 수월합니다. 또 채소, 생선 등 용도에 맞게 사용하도록 그림이 그려져 있어 구분하기도 쉬워요.

### 나무 채반

나무 채반은 다용도로 쓸 수 있는 필수 조리 도구입니다. 크기별, 깊이별로 다양하게 갖고 있으면 요긴하게 사용할 수 있어요. 국수를 건지거나 채소를 씻어 물기를 빼고, 과일이나 나물을 말리기에도 적당합니다. 사용 후 수세미나 솔로 문지르면 깨끗하게 닦이고요. 채반은 건조가 빠르고 통기성이 좋은데다 가볍고 튼튼해서 대대손손 물려주며 쓸 수 있는 주방 도구가 아닌가 생각합니다.

젓가락　　　　　회칼과 다용도 칼　　　　튀김 냄비와 종이　　　　나무 국자

### 젓가락

긴 대나무 젓가락은 튀김할 때 사용하는 것으로 온도를 측정할 때 좋아요. 대나무 젓가락을 넣었을 때 몽글몽글 거품 방울이 생기면 튀김 온도로 적당한 170℃라는 것을 알 수 있기 때문입니다. 길고 두꺼운 것을 고르면 조금 더 힘이 있어 튀김을 집기 쉽고 멀리 잡을 수 있어 안전해요. 작은 것은 '모리츠케바시 **盛りつけ箸**'라고 부르는 젓가락으로 음식을 그릇에 덜 때 사용하는 전용 젓가락입니다. 끝이 뾰족하고 가늘어 음식을 예쁘게 담을 수 있기 때문에 도시락 반찬을 담을 때 사용하면 좋습니다.

### 회칼과 다용도 칼

생선회를 뜰 때 길고 가느다란 칼을 사용하면 생선살이 흐트러지지 않게 썰 수 있습니다. 작고 뭉툭한 칼은 마늘이나 생강, 락교 껍질을 벗길 때나 작은 채소를 다듬고 썰 때 사용하면 좋습니다. 칼은 약간 비싸더라도 질이 좋은 것을 구입해 오래 사용하는 것이 올바른 소비인 것 같아요.

### 튀김 냄비와 종이

일본에서는 튀김 전용 냄비를 일반적으로 사용합니다. 튀김 전용 냄비는 온도를 빨리 올려 주고 유지해 주며 기름때도 잘 닦여요. 기름을 오래 담아 두어도 화학반응이 일어나지 않는 소재를 사용해 오래 쓸 수 있습니다. 또 튀김을 그릇에 담을 때 종이를 이용하면 모양이 좋고 여분의 기름과 수분도 흡수해 바삭하고 맛있는 튀김을 먹을 수 있어요.

### 나무 국자

나무 국자는 가볍고 잡았을 때 손에 닿는 느낌이 좋으며 다른 그릇에 손상을 주지 않는 게 장점이에요. 흙으로 빚은 그릇이나 냄비, '호로**琺瑯**'라고 부르는 법랑 냄비처럼 스크래치가 나기 쉬운 그릇에 사용합니다. 뚝배기나 도자기 같은 그릇과 맞닿아도 소리가 나지 않아서 좋아요.

채칼

시치미 통&고추냉이 강판

사각 초밥 틀

계량스푼&핀셋

### 채칼

나무로 된 조리 도구는 환경호르몬이 발생하지 않고 건강에 좋은 것은 물론 손으로 만졌을 때의 느낌이 좋아 요리가 더 즐거워집니다. 플라스틱 제품보다 오래 쓸 수 있다는 것도 장점이지요. 채칼은 3가지 정도를 준비해 용도에 맞게 사용합니다. 슬라이스형 채칼은 채소를 가늘고 길게 썰 때, 톱니 모양 채칼은 무채처럼 약간 굵고 각이 있는 모양을 만들 때 사용하고, 강판 모양 채칼은 구멍이 난 것 같은 가는 채썰기 모양을 낼 때 사용합니다. 칼날 교환이 가능하기 때문에 한 번 구입하면 평생 쓸 수 있는 도구 중 하나지요.

### 시치미 통&고추냉이 강판

시판 시치미는 보통 유리병에 들어 있지만, 오랜 역사와 전통이 있는 지역 특산물인 시치미의 경우 전용 통에 담아 먹도록 되어 있기 때문에 일본에서는 다양한 시치미 통을 판매합니다. 그중 '다케로시치미이레竹の七味入れ'라는 대나무로 만든 통은 수분을 빨아들여 시치미가 눅눅해지지 않고 항상 좋은 맛을 유지하도록 도움을 줍니다. 고추냉이 강판은 스테인리스, 동, 가죽 등 소재가 다양한데 가장 맛있게 갈리는 것이 상어가죽으로 만든 제품이에요. 생고추냉이를 강판에 갈아 냉메밀국수나 회, 생선 등에 곁들여 먹으면 더욱 맛있어요.

### 사각 초밥 틀

'오시스시押し寿司'라는 눌러서 만든 초밥이 있습니다. 연어나 고등어를 초에 절여서 사각 모양으로 눌러 만들기도 하고, 채소나 소보로(고기나 생선에 양념을 해서 잘게 부수어 조리한 것)를 초밥 사이사이에 겹겹이 넣어 만들 때는 초밥 틀을 사용해요. 우유팩이나 반찬통을 이용해서도 만들 수 있지만 초밥 틀이 있으면 편리하고 모양도 잘 잡을 수 있답니다.

### 계량스푼&핀셋

일본의 가정에서는 젊은 세대부터 60대 주부까지 일상적으로 계량스푼을 사용합니다. 사용하다 보면 참 편리한 도구가 바로 이 계량스푼입니다. 대충 짐작으로 넣는 것과 양을 정확히 측정해 넣는 것은 전혀 다른 결과를 가져오기 때문입니다.
핀셋은 생선 가시를 바르는 데 사용하는데 단순해 보이지만 꺾인 각도나 소재를 정밀하게 계산해서 만들어 편리한 도구입니다. 이 핀셋을 이용하면 힘들이지 않고도 생선 가시를 제거할 수 있어요. 먹을 때 일일이 발라내는 것보다 수월하고 안심하고 먹을 수 있어 하나쯤 구비해두면 유용합니다.

강판&비늘 필러

달걀덮밥 냄비

절구&방망이

무칼

### 강판&비늘 필러
작은 강판은 생강을 갈 때 사용합니다. 일본에는 생강이 들어가는 요리가 많아 싱크대에 걸어 두면 자주 사용하게 됩니다. 길쭉한 도구는 생선 비늘을 벗길 때 사용합니다. 손잡이를 잡고 톱날 모양으로 된 쪽을 생선껍질에 밀착시켜 힘 있게 긁으면 생선 비늘을 깔끔하게 벗길 수 있어요.

### 달걀덮밥 냄비
프라이팬처럼 생긴 냄비는 달걀덮밥인 '오야코동親子鍋' 전용 냄비입니다. 덮밥은 작은 냄비나 프라이팬으로도 충분히 맛있게 만들 수 있지만, 오야코동이 있으면 다 만든 뒤 모양을 유지하면서 밥 위에 얹기가 쉬워요. 또 냄비가 깊지 않아 국물을 많이 넣을 수 없기 때문에 필요 이상으로 국물이 많아지는 실수를 막을 수 있습니다.

### 절구&방망이
절구를 일본어로 '스리바치すり鉢'라고 하는데, 일본 요리에서 빠질 수 없는 필수 도구입니다. 깨는 물론 된장이나 마를 갈 때, 재료를 으깨면서 섞을 때 사용하기도 합니다. 절구와 함께 쓰는 방망이는 나뭇결이 촘촘하고 단단하기로 유명한 산초나무로 만든 것을 주로 사용합니다. 일본에서는 이 산초나무 방망이를 사용하는 것이 예로부터 내려온 전통이라고 합니다.

### 무칼
생무를 잘 먹는 일본인들에게 무칼은 필수품이나 마찬가지입니다. 일식에서는 꽁치 같은 기름진 생선과 튀김을 먹을 때 지방 분해 효과가 있고 소화 증진을 돕는 생무를 함께 먹습니다. 빨래판처럼 생긴 대나무 판에 무를 갈면 무의 표면이 거칠고 불규칙하게 깎여 나와 양념이 잘 스며들고 식감도 좋으며 모시옷처럼 까슬까슬하고 시원한 느낌이 납니다. 무뿐 아니라 단단한 채소를 갈 때 사용해도 좋아요.

시치미 스푼&스리바치
&미니 주걱

스테인리스 국자

은행 굽는 틀

오토시부타

## 시치미 스푼&스리바치&미니 주걱

작은 스푼은 시치미나 산초가루 같은 가루 향신료를 덜 때 사용합니다. 요리에 양념을 적게 넣거나 개인
접시에 뿌려 먹을 때 유용합니다. 가운데 있는 것은 '스리바치**すり鉢**'로 고추냉이나 생강, 무 등을 갈고
난 뒤 절구나 강판에 붙어 있는 것들을 안전하고 깔끔하게 긁어낼 수 있는 도구입니다. 15cm 정도의 미
니 주걱은 주먹밥을 만들 때 사용하기 적당한 크기로 요리할 때뿐 아니라 손님상에 덜어 먹는 밥 요리를
낼 때 좋아요.

## 스테인리스 국자

구멍이 난 국자는 쇠고기덮밥(규동**牛丼**)처럼 국물을 자작하게 담을 때 사용하는데 구멍의 크기가 국물
의 양을 알맞게 조절해 줍니다. 덮밥뿐 아니라 겨울에 자주 먹는 전골이나 냄비 스키야키에도 두루두루
사용할 수 있어요. 망이 있는 국자는 두부 국자입니다. 냄비 요리나 '유도부**湯豆腐**'라는 두부 국물 요리를
할 때 두부를 건지는 국자로 두부를 부스러뜨리지 않고 쉽게 건져 먹을 수 있어요. 긴 국자는 락교나 매
실장아찌 등의 저장 음식을 만들 때 큰 유리병이나 항아리처럼 깊은 용기에 음식을 넣고 꺼내기 편리합
니다.

## 은행 굽는 틀

은행을 불에 구울 때 사용하는 도구입니다. 은행 전용이지만 콩이나 호두, 땅콩 등 거의 모든 견과류를
맛있게 구울 수 있습니다. 일본에서는 구은 은행을 즐겨 먹기 때문에 은행을 굽는 전용 틀도 판매하는데
가격은 1만원 정도입니다.

## 오토시부타

'오토시부타**落としぶた**'는 냄비 안으로 쏙 빠지는 뚜껑을 뜻합니다. 오토시부타는 조림을 할 때 주로 사
용하는데, 수분 증발량을 적당히 맞춰 요리의 맛이 살아납니다. 뚜껑을 반만 닫고 조리할 수도 있지만,
일본 가정식에서는 그렇게 요리하면 냄비 안의 수분량이 고르지 못해 맛에 얼룩이 진다고 생각합니다.
그래서 오토시부타를 사용해 수분량을 조절하고, 위로 올라가려는 성질의 재료를 눌러 모양이 흐트러
지지 않게 하면서 국물과 양념이 재료에 잘 배게 도와줍니다.

식재료 쇼핑

재미있는 일화 한 가지를 얘기해 드릴게요. 일본에서 교통사고가 났는데, 운전자를 구하기 위해 차 문을 열었더니 차 안에 운전자가 없었답니다. 큰 사고라 부상이 심각했을 텐데 이 운전자는 피를 흘리며 숙주나물을 들고 집으로 뛰어가 아내에게 이렇게 외치고는 병원에 갔다고 하네요.

"얼른 냉장고에 넣어. 숙주나물은 신선도가 생명이야!"

우스갯소리일지 모르지만 일본 사람들이 식재료의 신선도를 얼마나 중요하게 생각하는지를 단적으로 알게 해 주는 이야기입니다. 일본 사람들은 식재료의 신선도에 아주 민감한 편입니다. 저희 시어머니만 해도 생선이나 두부를 잠시도 냉장고 밖에 꺼내 두는 법이 없습니다. 생선을 많이 먹는 나라라 몸에 밴 습관인 것 같아요.

일본 사람들은 동네 슈퍼마켓에서 장을 보는 경우가 많아요. 인기 있는 식재료는 슈퍼마켓에서 바로 구입할 수 있고, 재료도 신선한 편입니다. 저는 옛날 방식으로 채소는 채소 가게, 고기는 정육점, 생선은 생선 가게에 가서 따로따로 장을 보는 걸 더 선호합니다. 농수산물 직판장도 자주 이용하지요. 또 가격이 비싸서 자주 구입하지는 않지만 되도록 친환경 식재료를 구매하려고 합니다.

일본인들이 식재료만큼이나 중요하게 생각하는 것이 바로 조리 도구입니다. 일본 가정주부들이 가지고 있는 조리 도구는 한국 주부들이 기본적으로 사용하는 것과 크게 다르지 않지만 조금 더 다양하고 전문적인 편입니다. 요리에 관심이 있는 일본인이라면 튀김 전용 냄비, 대나무 찜통, 오토시부타, 스리바치는 모두 갖고 있을 정도예요. 최근 일본에서는 건강식, 자연식에 관심이 많아지면서 '옛날에 집에서 먹던 음식으로 돌아가자'는 분위기가 형성되고 있습니다. 또 나무 밥통을 비롯해 천연 소재로 된 도구들이 인기가 많습니다. 주방용품은 하나를 사더라도 제대로 잘 만든 좋은 제품을 구입해 오래 사용하자는 친환경적인 사고방식이 유행하고 있기 때문입니다. 자연 소재와 더불어 유리와 법랑 제품도 트렌디한 주부들 사이에서 꾸준한 인기를 얻고 있습니다.

## 자주 찾는 식품점

- 마크로비오틱 푸드 숍
  Ohsawa | www.ohsawa-japan.co.jp
- 천연 양념 전문 숍
  Ikkyudo | www.kyo-yakumi-ikkyudo.co.jp
- 친환경 식재료 숍
  Natural House | www.naturalhouse.co.jp

## 인기 있는 주방용품점

- 마두 madu | www.madu.jp
- 크로산트 Croissant クロワッサンの店 |
  magazineworld.jp/croissant/special/shop
- Bshop | www.bshop-inc.com/shoplist/index.html
- Kurihara Harumi | www.yutori.co.jp/shop/index.html
- IDEE | www.idee-online.com
- muji | www.muji.net
- tokyuhands | www.tokyu-hands.co.jp
- loft | www.loft.co.jp
- iwaki | www.igc.co.jp
- noda horo | www.nodahoro.com/products

매일 먹는 소박한 밥상

part

# 02

일본에서 매일 먹는 밥상의 기본은 '손주는 착하다'라는 뜻의 '마고와야
사시이まごはやさしい'라는 말입니다. 일본의 의학박사 요시므라 히로유키吉村洋之가
처음 고안한 말로 일본 식생활 교육에서 기본이 됩니다.

마고와야사시이 중 '마ま'는 콩, '고ご'는 깨, '와は'는 해조류, '야や'는 채
소, '사さ'는 생선, '시し'는 버섯, 그리고 '이い'는 감자 같은 뿌리채소를 의미합니
다. 즉, 매일 콩, 깨, 해조류, 채소, 생선, 버섯, 그리고 땅속 채소를 이용해 균형
잡힌 영양식을 먹자는 의미입니다. 이렇듯 다양한 식재료를 조금씩 골고루 먹는
것이 바로 일본 가정식의 기본입니다.

매끼 영양의 균형을 잡는 것을 중요하게 생각하는 일본 가정식을 바탕으
로 소박한 밥상을 제안합니다. 밥을 기본으로 그에 어울리는 건강 반찬을 함께 먹
을 수 있는 20세트의 정식 차림과 20가지 한 그릇 음식을 소개합니다.

# 하나.
## 정식 定食

　　일본에서 말하는 정식은 맛과 영양이 균형 잡힌 이상적인 한 끼 식사입니다. 그러므로 가정에서는 주로 저녁 식사로 정식을 즐겨 먹습니다. 사원 식당이나 학교 식당에서도 메인 메뉴에 반찬을 매치한 정식 형태를 먹는 경우가 많아요. 물론 대중적인 식당에서도 흔히 정식을 접할 수 있구요. 일본에서 정식 상차림은 쟁반이나 런천 매트라고 불리는 패브릭 위에 세트로 차려내는 게 일반적입니다.

　　밥, 국, 메인 메뉴, 간단한 반찬 1가지, 츠케모노(김치와 같은 절임 채소)로 구성되며 개인의 취향에 맞게 반찬의 구성을 조절하거나 조합할 수 있습니다. 영양에 균형이 잡혀 있는 식사이기는 하지만 언뜻 보면 손이 많이 갈 것 같고, 귀찮다는 느낌이 들 수도 있지요. 하지만 정식 상차림은 생각보다 어렵지 않습니다.

　　번거롭지 않고 손쉽게 차려낼 수 있는 비법을 알려드릴게요. 첫째, 양이 많으면 요리가 힘들어지고 질리기 쉬우므로 적은 양을 만듭니다. 적은 양만 만들면 여러 가지를 만들 수 있고, 만드는 재미도 있습니다. 둘째, 메인 메뉴를 정하는 게 중요합니다. 주인공인 메뉴를 하나 정한 뒤 사이드 메뉴를 곁들이는 식입니다. 만들고 남은 자투리 재료나 냉장고 속 재료로 국이나 반찬을 만들면 됩니다. 셋째, 메뉴의 조리법을 먼저 생각합니다. 메인 메뉴를 볶음으로 정했다면 다른 한 가지는 찌거나 날로 먹는 등 조리법에 변화를 주면 적게 차려도 다양한 음식을 먹는 듯한 느낌을 줄 수 있고 영양의 균형도 맞출 수 있습니다.

● 정식 메뉴의 재료와 분량은 모두 2인분 기준입니다.

# 01

## 두부볼
### (간모도키 がんもどき)

우리가 장이나 김치를 슈퍼마켓에서 사서 먹듯 일본도 우리와 마찬가지로 사 먹는 음식이 더 많아졌습니다. 두부볼인 간모도키도 그중 하나입니다. 옛날에는 집집마다 약간씩 다른 재료와 방식으로 만들어 각 가정만의 맛을 가지고 있던 음식이지만 요즘은 간모도키를 직접 만들어 먹는 집이 흔치 않습니다. 그래서 더욱 그 맛이 그립고 정겨운 듯합니다.

슈퍼마켓에 가면 바로 사 먹을 수 있는 음식이라 약간 번거롭게 느껴질 수도 있지만, 직접 만들어 보면 따끈하고 담백한 맛에 쏙 빠지게 될 거예요.

두부볼, 잡곡밥, 양배추된장국, 오이무침

간장 소스를 곁들인 고소한 두부볼에 된장에 무친 아삭한 오이를 곁들였어요. 잡곡밥과 된장국으로 담백함을 배가시키고, 국을 끓이고 남은 양배추로 샐러드를 만들어 두부볼과 함께 내면 영양의 균형을 맞출 수 있어요.

- **잡곡밥:** 보리, 흑미, 현미, 수수를 섞어 씻어 1시간 정도 불린 뒤 밥을 짓는다.
- **오이무침:** 오이를 먹기 좋은 크기로 썰어 된장에 버무린다.
- **양배추된장국:** 당근, 양배추를 가쓰오부시 국물에 넣고 끓이다가 된장을 풀어 넣고 끓여냅니다.

---

두부볼

**재료**

두부 1모, 당근 1/3개, 표고버섯 3개, 깻잎 3장, 밀가루 1큰술,
맛술·간장 1/2작은술씩, 식용유 적당량, 소금·후춧가루 약간씩

**만드는 법**

1. 두부는 면포에 싼 뒤 눌러서 물기를 뺀다.
2. 당근, 표고버섯, 깻잎은 먹기 좋게 채썬다.
3. 볼에 1의 두부와 채썬 채소와 나머지 양념을 넣고 잘 버무린다.
4. 반죽을 한 숟갈씩 떠서 170℃ 기름에 노릇하게 튀긴다.

 **tip** | 두부볼은 튀겨서 식히면 색이 약간 짙어지므로 연한 갈색이 돌 때 기름에서 꺼내세요.

# 02

## 돼지고기된장국
### (돈지루 豚汁)

일본에서 처음 열게 된 전시회 준비로 녹초가 되었을 때 친구가 돈지루를 추천해 주었어요. 우리나라에 삼계탕이 있다면 일본에는 돈지루가 있다고 해도 과언이 아닐 정도로 피로회복 제로 사랑받는 음식이랍니다. 돼지고기와 마늘이 피로를 풀어 주고, 곤약, 당근, 양파가 영양 의 균형을 맞춰 줍니다. 돈지루와 밥만 있으면 다른 반찬이 필요 없는 든든한 정식이에요.

## 돼지고기된장국, 현미밥, 무당근절임

곁들이는 구수한 현미밥과 상큼한 무당근절임이 돼지고기된장국의
맛을 느끼하지 않게 해 줍니다.

- **현미밥:** 현미를 씻어 1시간 정도 불린 다음 밥을 지어 그릇에 담고 파래가루를
  뿌린다.
- **무당근절임:** 채썬 무와 당근을 소금에 절인 뒤 식초, 설탕, 유자즙, 채썬 유자껍
  질을 넣고 무친다.

---

돼지고기 된장국

1.

2.

3.

4.

### 재료

돼지고기 200g, 곤약·우엉 100g씩, 양파 1개, 당근 1/2개,
된장 2큰술, 청주 1큰술, 송송 썬 파·다진 마늘 2작은술씩,
물 2와 1/2컵, 식용유 약간

### 만드는 법

1. 곤약은 숟가락으로 먹기 좋게 자른 뒤 끓는 물
   에 1~2분 정도 데친다.
2. 팬에 기름을 두르고 슬라이스한 우엉, 양파,
   당근, 다진 마늘, 돼지고기를 볶다 재료가 익
   어 가면 청주와 된장 1큰술을 넣고 중불에 볶
   다 곤약을 넣고 조금 더 볶는다.
3. **2**에 물을 붓고 된장 1/2큰술을 풀어 끓인다.
4. 거품을 걷어내고 남은 된장을 넣어 한소끔 더
   끓인 다음 파를 뿌린다.

**tip** 된장은 3단계로 나누어 넣어 주세요. 간을 입맛에 맞
게 맞출 수 있을 뿐만 아니라 고기에 간이 잘 배어들어
된장의 향이 맛깔스럽게 살아납니다.

# 03

## 회
### (사시미 刺身)

일본 가정에서 회정식을 먹을 때는 1인분씩 따로 담아냅니다. 다른 음식과 영양 균형을 맞추는 것도 잊지 않고요. 날로 먹는 회에는 푹 익힌 조림이나 미역 같은 해조류를 곁들이면 좋습니다. 날것을 먹게 되므로 항균작용을 하고 부패를 방지하는 고추냉이와 비린내를 없애고 회의 맛을 돋우는 생강, 파 등의 향신료를 항상 곁들여 냅니다.

## 회 세트, 밥, 김국, 생강초절임, 단호박조림

담백한 회와 감칠맛 나는 초된장회무침, 흰밥과 김국, 생강초절임과 단호박조림 등 새콤달콤한 반찬을 준비하면 맛에 리듬감을 줄 수 있습니다.

● **밥:** 쌀을 씻어 30분 정도 불렸다가 밥을 지은 뒤 깨를 뿌린다.
● **생강초절임:** 생강을 얇게 썰어 살짝 데친 다음 소금, 식초, 설탕을 같은 비율로 넣고 붉은 차조기 잎을 조금 첨가해 끓인 소스를 붓는다.
● **단호박조림:** 단호박을 먹기 좋은 크기로 썰어 냄비에 넣고 단호박이 잠길 정도로 물을 부은 다음 간장과 미림을 같은 비율로 넣고 조린다.
● **김국:** 다시마 국물을 이용해 된장국을 끓인 뒤 구운 김과 라임 한 쪽을 올린다.

---

# 회 세트

1.

2.

3.

4.

·············································

**재료**

생선회(전갱이) 100g, 생강 1/4쪽, 된장 1/2작은술,
청주 · 식초 1작은술씩, 실파 약간

·············································

**만드는 법**

1. 실파는 송송 썬다.
2. 회의 반은 접시에 담고, 나머지 반은 버무릴 그릇에 담는다.
3. 생강은 강판에 곱게 간다.
4. 회를 담은 볼에 된장, 청주, 식초, 실파, 생강을 넣고 버무린 뒤 **2**의 회 접시에 담는다.

**tip** 초된장회무침은 미리 준비해 두면 물이 생겨서 맛이 없으므로 먹기 바로 전에 무치세요. 양념하지 않은 회를 찍어 먹을 수 있도록 간장과 와사비를 담은 종지를 곁들여 냅니다.

# 돼지고기생강구이
## (부타노쇼가야키 豚の生姜焼き)

일본에서 생선만큼 자주 먹는 것이 바로 돼지고기입니다. 또 고추냉이만큼 자주 먹는 것이 생강으로, 마늘이 우리나라를 대표하는 양념이라면 일본은 단연 생강이라고 할 수 있어요. 생강을 도마 옆이나 싱크대 위에 항상 올려놓고 거의 모든 요리에 넣는 가정집도 적지 않아요. 돼지고기와 생강이 잘 어울린다는 것은 부타노쇼가야키를 먹어 보고 나서야 알게 되었습니다. 우리나라의 불고기처럼 일본에서는 부타노쇼가야키가 대중적으로 가장 사랑받는 음식이라 할 수 있지요.

## 돼지고기생강구이, 현미보리밥, 무된장국

돼지고기에 생강을 넣어 느끼하지 않아요. 돼지고기와 잘 어울리는 양배추와 꽈리고추, 우메보시를 한 접시에 곁들여 내면 맛의 균형을 잡을 수 있습니다. 시원한 무국과 열량이 낮은 현미보리밥을 더하면 부담스럽지 않은 밥상을 차릴 수 있어요.

● **현미보리밥:** 동량의 보리와 현미를 섞어 씻은 뒤 1시간 정도 불렸다가 밥을 지어 공기에 담고 김을 올린다.
● **무된장국:** 가쓰오부시 국물에 무와 당근을 썰어 넣고 된장을 풀어 후루룩 끓인다.

---

1.

2.

3.

4.

## 돼지고기생강구이

· · · · · · · · · · · · · · · · · · · · · · · · · · · · · · · ·

### 재료

돼지고기(목살) 300g, 양배추 1/3통, 생강 1쪽, 간장 3큰술,
청주 · 미림 · 물 2큰술씩, 된장 1과 1/2큰술,
꽈리고추 · 설탕 약간씩, 식용유 적당량

· · · · · · · · · · · · · · · · · · · · · · · · · · · · · · · ·

### 만드는 법

1. 생강은 강판에 곱게 갈고, 양배추는 먹기 좋게 채썬다.
2. 그릇에 곱게 간 생강, 간장, 청주, 미림, 물을 넣고 섞은 뒤 슬라이스한 돼지고기에 양념해 10분간 잰다.
3. 기름을 살짝 두른 팬에 **2**의 돼지고기와 양념을 함께 넣고 익힌다.
4. 꽈리고추를 팬 한쪽에 올린 뒤 고기와 같이 익힌 다음 접시에 담아낸다.

**tip** 돼지고기는 중불에서 서서히 익혀야 타지 않고 구웠을 때 육질이 부드럽고 맛있어요.

# 05

# 닭고기샐러드

## (도리니쿠사라다 鶏肉サラダ)

삼계탕을 먹고 자란 한국 사람이라서 그런지 일본에 있어도 여름이 되면 어김없이 닭고기 생각이 나요. 미국에 있을 때는 '치킨누들수프'라는 닭국수수프를 즐겨 먹었어요. 치킨누들수프는 겨울에 감기에 걸리면 먹는 음식으로 잘 알려져 있는데, 한여름에 그 뜨거운 수프를 먹고도 시원한 맛이라며 즐거워했지요. 도리니쿠사라다는 일본에서 인기 있는 여름 메뉴로 맛이 깔끔하고 영양이 풍부해 누구나 만족한답니다.

## 닭고기샐러드, 현미주먹밥구이, 달걀국, 마무침

메인 요리가 샐러드인 만큼 배고프지 않도록 구운 주먹밥을 곁들였습니다. 밥에 어울리는 짭조름한 간장 소스의 마무침을 반찬으로 함께 내면 좋아요. 아삭한 샐러드와 버섯을 넣은 부드러운 달걀국까지 더하면 입맛을 돋울 수 있는 정식 상차림이 됩니다.

- **현미주먹밥구이**: 현미밥을 고슬고슬하게 지어 소금으로 간하고 주먹밥을 만든 뒤 기름을 약간 두른 팬에 노릇하게 굽는다.
- **달걀국**: 샐러드에 넣을 닭고기를 삶은 국물에 백만송이버섯과 달걀을 풀어 넣고 소금, 후춧가루로 간한다.
- **마무침**: 마를 채썰어 접시에 담고 가쓰오부시를 얹은 뒤 간장을 살짝 뿌린다.

## 닭고기샐러드

### 재료

닭고기(가슴살) 200g, 샐러드용 채소(로메인, 적상추 등) 100g, 방울토마토 60g, 양파 1/3통, 소금 · 후춧가루 약간씩, 깨 소스(호두 3알, 닭고기 삶은 국물 · 통깨 2큰술씩, 간장 · 청주 1큰술씩, 올리브유 · 식초 2작은술씩, 꿀 1작은술)

### 만드는 법

1. 닭가슴살은 소금과 후춧가루를 뿌려 쟀다가 찬물에 넣고 삶아서 먹기 좋게 찢는다.
2. 통깨와 호두를 곱게 빻은 뒤 나머지 소스 재료를 넣고 섞어 깨 소스를 만든다.
3. 샐러드용 채소는 씻어 먹기 좋게 찢고, 방울토마토는 반으로 자르고, 양파는 곱게 채썬다.
4. 접시에 채소와 양파, 닭고기를 담고 깨소스를 뿌려 낸다.

**tip** 닭가슴살을 찬물에 넣고 삶으면 육질이 뻑뻑하지 않아 **부드럽게 먹을 수 있어요.**

# 06

## 돈가스
### (돈카츠とんかつ)

돈가스 하면 어린 시절에 먹은 별식을 떠올리게 되지요. 하지만 일본에서는 박력 있는 남자들의 음식이라는 느낌이 강하답니다. 얼마 전까지만 해도 라면집이나 돈가스 전문점에 여자 혼자 가는 경우는 거의 없을 정도였지요. 밥과 함께 먹으면 한 끼 식사로 충분한데다 집에서 만들어도 맛있는 음식입니다. 국, 간단한 반찬과 함께 별미로 준비해 보세요.

돈가스, 현미밥, 감자된장국, 브로콜리무침, 가지초간장절임, 무절임

튀김 요리의 느끼함을 없애기 위해 양배추와 브로콜리무침, 감자된장국을 곁들였습니다. 지방이 쉽게 분해되고 소화가 잘되도록 무절임과 가지초간장을 반찬으로 함께 내면 느끼하지 않은 영양식이 됩니다.

- **현미밥:** 현미를 1시간 정도 불렸다가 밥을 지어 그릇에 담고 빻은 검은깨를 뿌린다.
- **브로콜리무침:** 소금을 약간 넣은 끓는 물에 브로콜리를 데친 뒤 물기를 짜고 두부 마요네즈 소스(p30 만드는 방법 참고하세요)에 버무린다.
- **가지초간장절임:** 가지를 어슷썬 다음 소금을 뿌려 숨을 죽이고 쯔유와 식초, 간장, 설탕을 같은 비율로 섞은 양념장에 버무린다.
- **무절임:** 무를 얇게 슬라이스해 소금, 설탕, 식초를 1:3:5 비율로 넣고 절였다가 물기를 꼭 짠 다음 채썬 파프리카와 함께 버무린다.
- **감자된장국:** 가쓰오부시 국물에 감자를 썰어 넣고 끓이다 된장, 실파를 넣고 한소끔 더 끓인다.

---

1.

2.

3.

4.

# 돈가스

**재료**

돼지고기(돈가스용) 2장, 양배추 1/4통, 달걀 1개,
소금 · 후춧가루 · 연겨자 약간씩,
밀가루 · 식용유 · 돈가스 소스 적당량씩

**만드는 법**

1. 양배추는 채칼을 이용해 가늘게 채썬다.
2. 돈가스용 돼지고기는 칼집을 넣고 소금, 후춧가루를 뿌려 5분 정도 잰다.
3. 빵을 프로세서에 갈아 빵가루를 만든다. 2의 돼지고기에 밀가루를 얇게 묻히고 달걀물과 빵가루를 입힌다.
4. 170℃ 기름에 노릇하게 튀긴다.

돼지고기는 어느 정도 익으면 꺼냈다가 한김 식힌 뒤 다시 튀기면 더욱 고소하고 바삭해집니다. 돈가스 소스는 p31 만드는 방법 참고하세요.

# 07

# 냉샤브
## (레샤브 冷しゃぶ)

더운 여름날, 요리하기는 귀찮지만 제대로 된 식사를 하고 싶을 때 만들기 좋은 메뉴가 바로 냉샤브 정식입니다. 포인트는 요리를 하는 순서입니다. 전기밥솥 스위치를 누른 다음 고기를 끓는 물에 흔들어 국물과 샤브샤브를 만듭니다. 익힌 고기를 냉장고에 넣어 차게 식히는 동안 소스와 샐러드를 만들면 어느새 밥이 완성됩니다. 밥에 냉장고 속 반찬을 넣고 김으로 싸면 주먹밥을 만들 수 있습니다.

# 생선꼬치구이
## (츠크네つくね)

츠크네는 생선이나 두부, 고기 등의 주재료를 갈아서 완자 형식으로 만드는 것을 말합니다.
두부츠크네, 닭고기츠크네, 생선츠크네 등이 대표 메뉴인데요. 생선을 좋아하는 저는 생선츠
크네를 자주 해 먹어요. 생선츠크네는 그냥 먹어도 좋고 구이로 먹어도 좋답니다. 또 갈아 놓
은 생선을 숟가락으로 떠서 어묵을 만든 다음 국을 끓여도 맛있어요.

## 07 냉샤브

냉샤브, 토마토버섯국, 주먹밥, 당근샐러드

새싹 채소를 듬뿍 넣은 담백한 냉샤브와 새콤한 당근샐러드는 여름에 시원하게 먹기 좋은 음식입니다. 여기에 따끈한 토마토버섯국을 곁들여 다양한 맛을 즐길 수 있습니다. 된장 소스를 넣은 주먹밥은 콩을 섭취할 수 있어서 아침이나 점심 식사로 훌륭한 건강 메뉴입니다.

- **주먹밥**: 잘게 썬 양파와 가지에 된장을 조금 넣고 볶아 밥에 넣고 주먹밥을 만든 다음 김으로 감싼다.
- **당근샐러드**: 식초와 올리브유를 같은 비율로 넣고 섞은 뒤 소금과 후춧가루를 넣어 소스를 만든 다음 채썬 당근을 버무린다.

1.

2.

3.

4.

5.

# 냉샤브와 토마토버섯국

## 재료

돼지고기(목살) 200g, 무순 150g, 방울토마토 3~4개,
표고버섯 2~3개, 마늘 2톨, 양파 1/4개,
다시마 국물 2와 1/2컵, 올리브유 적당량, 소금 · 후춧가루 약간씩,
간장 소스(토마토버섯 국물 · 간장 2큰술씩,
식초 1큰술, 생강즙 1작은술, 소금 · 후춧가루 · 고춧가루 약간씩)

## 만드는 법

1. 달군 냄비에 올리브유을 두르고 마늘, 소금,
   후춧가루를 넣어 볶다 방울토마토, 슬라이스
   한 표고버섯, 사각으로 썬 양파를 넣고 함께
   볶는다.

2. 1에 다시마 국물을 붓고 끓으면 고기를 살짝
   익을 정도로만 국물에 담갔다 꺼낸다. 익힌 고
   기는 냉장고에 넣어 차게 식힌다.

3. 국물에 생긴 거품을 걷어낸 다음 소금, 후춧가
   루로 간한다.

4. 익은 마늘을 건져 으깬 다음 3의 국물과 간장,
   식초, 생강즙을 넣어 냉샤브 소스를 만든다.

5. 무순을 씻어 접시에 깔고 차게 준비한 고기를
   올린 다음 소스를 뿌린다.

**tip** 간장 소스는 먹기 전에 살짝만 뿌립니다. 입맛에 맞게
조금씩 첨가해서 먹으면 짜지 않고 채소도 아삭하게
즐길 수 있어요.

## 08 생선꼬치구이

생선꼬치구이, 잡곡밥, 어묵국, 배추유자절임

생선 반죽 한 가지로 꼬치구이도 만들고 어묵국도 끓이는 일석이조 정식 상차림입니다. 배추유자절임은 생선의 비린내를 잡을 수 있는 반찬입니다. 깻잎을 손으로 찢어 밥 위에 뿌리면 향이 진해 생선 요리를 먹을 때 좋습니다.

- **잡곡밥:** 동량의 잡곡과 현미를 섞어 씻은 뒤 1시간 정도 불렸다가 밥을 짓는다.
- **배추유자절임:** 소금에 절인 배추를 채썬 다음 유자즙, 유자껍질 다진 것을 넣고 버무린다.
- **어묵국:** 다시마 국물에 무를 넣고 끓이다 생선 반죽을 숟가락으로 둥글게 떠 넣은 뒤 소금, 간장, 청주, 후춧가루로 간해 끓인다.

1.

2.

3.

4.

5.

6.

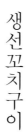

생선꼬치구이

···········································

### 재료

흰살 생선(도미) 300g, 파 100g, 오징어 80g,
호박 · 달걀 1개씩, 녹말가루 1과 1/2큰술,
소금 · 후춧가루 약간씩,
간장 소스(간장 1/2큰술, 식초 1작은술, 간 생강 1/2작은술)

···········································

### 만드는 법

1. 생선살, 오징어, 달걀, 녹말가루, 소금, 후춧가루를 모두 프로세서에 넣고 간다.

2. 파를 5cm 길이로 썰어 1에 넣고 다시 한 번 간다.

3. 반죽의 상태를 보면서 녹말가루를 넣어 약간 진 반죽이 되도록 조절한다.

4. 3을 둥글 넙적한 모양으로 만든 다음 팬에 기름을 두르고 슬라이스한 호박과 함께 굽는다.

5. 볼에 분량의 재료를 다 넣고 섞어 간장 소스를 만든다.

6. 4의 생선완자를 꼬치에 꿴 뒤 접시에 담고 호박, 간장 소스를 곁들인다. 기호에 따라 고춧가루나 레몬을 곁들여도 좋다.

tip | 생선과 오징어 대신 닭고기, 쇠고기, 두부, 새우 등을 이용해 만들어도 좋습니다.

**09**

# 메밀국수
### (자루소바ざるそば)

한국에 시원한 냉면이 있다면 일본에서는 자루소바라는 메밀국수가 여름철을 대표하는 음식이랍니다. 자루소바는 튀김과 함께 세트 메뉴로 나오는 것이 일반적이며 쯔유와 파, 고추냉이, 무 같은 양념과 함께 먹습니다. 하지만 튀김 없이도 다양한 소스를 곁들여 색다른 메밀국수 정식을 차릴 수 있습니다. 간단히 만들 수 있는 양상추샐러드를 더해 심심하지 않게 준비해도 좋습니다.

메밀국수와 3가지 소스, 양상추샐러드

맛이 각기 다른 3가지 소스로 메밀국수 맛에 변화를 주고, 생강과 파를 넣어 식욕을 돋우었습니다. 새콤한 양상추를 더해 메밀국수의 맛이 밋밋해지지 않게 구성했어요.

● **양배추샐러드:** 붉은 양파는 채썰어 물에 담갔다 건지고, 양배추는 채썰어 둔다. 소금 약간, 올리브유와 식초를 같은 비율로 섞은 소스에 양파와 양상추를 함께 버무린다.

---

1.

2.

3.

4.

## 메밀국수와 3가지 소스

### 재료

메밀국수 200g, 생강 1/4쪽, 파 적당량, 깨 소스(호두 4개, 깨 2큰술, 된장 1/2큰술, 다시마 국물 1컵), 매실 소스(매실장아찌 2개, 다시마 국물 1컵), 쯔유 1컵

### 만드는 법

1. 메밀국수는 끓는 물에 넣어 삶는다. 물이 끓어오르면 찬물을 1컵 붓고 끓여 속까지 잘 익힌다. 국수가 익으면 흐르는 찬물에 손으로 살살 비벼가며 씻은 다음 채반에 담는다.

2. 깨와 호두를 갈아 된장에 넣고 섞은 뒤 다시마 국물을 붓고 풀어 깨 소스를 만든다.

3. 다시마 국물에 잘게 다진 매실장아찌를 넣고 섞어 매실 소스를 만든다.

4. 깨 소스, 매실 소스, 쯔유를 면과 함께 준비한 다음 먹기 직전에 송송 썬 실파와 간 생강을 소스에 넣고 면을 찍어 먹는다.

**tip** | 쯔유, 깨 소스, 매실 소스를 그릇에 가득 담으면 국수를 담갔을 때 국물이 넘칠 수 있으므로 주의하세요.

# 달걀말이

## (다시마키타마고だし巻き卵)

달걀말이는 일본의 인기 메뉴입니다. 달걀말이 전문점도 있고 명절 음식에도 빠지지 않을 정
도로 인기가 있답니다. 일본에는 달걀 전용 대나무 발도 있어요. 김발과 거의 비슷한데, 각이
지고 나무가 더 굵은 모양입니다. 김발을 이용해서도 충분히 예쁜 달걀말이를 만들 수 있어요.

## 달걀말이, 꼬마김밥, 시금치무침

달걀말이 정식은 심플하지만 차려 놓으면 누구나 좋아하는 메뉴입니다. 포장하기도 적당해 점심도시락으로 먹기에 특히 좋아요. 꼬마김밥은 남은 재료로 후다닥 만들 수 있는 간편한 음식입니다.

- **꼬마김밥:** 당근은 채썰어 소금으로 간해 볶고, 오이는 소금으로 씻어 채썬다. 밥을 고슬고슬하게 지은 뒤 소금, 설탕, 식초를 1:1:3 비율로 양념해 초밥을 만든 다음 각각의 재료를 넣고 김으로 만다.
- **시금치무침:** 시금치를 살짝 삶은 다음 간장, 소금, 올리브유를 1:1:2 비율로 넣고 빻은 검은깨를 넣어 무친다.

---

1.

## 달걀말이

.................................................

### 재료

달걀 2개, 다시마 국물 60ml, 녹말가루 · 간장 1작은술씩,
식초 1/2작은술, 식용유 적당량,
소금 · 무 간 것 · 가쓰오부시 · 쯔유 약간씩

.................................................

2.

### 만드는 법

1. 풀어 놓은 달걀에 다시마 국물, 녹말가루, 간장, 식초, 소금을 넣고 젓는다.

2. 기름을 살짝 두른 팬에 **1**을 한 국자 넣고 익기 전에 젓가락으로 살짝 휘저어 부피감을 준다.

3. 달걀을 돌돌 말아 팬 끝에 놓고 다시 기름을 살짝 두른 뒤 달걀물을 한 국자 더 붓고 말아 놓은 달걀을 굴려 도톰하게 만다. 거품 같은 방울이 생기면 젓가락으로 터뜨린다.

3.

4. **3**을 김발에 올리고 말아 모양을 고정한 다음 완전히 식으면 먹기 좋게 썬다. 접시에 달걀말이를 담고 무 간 것과 가쓰오부시를 올린 뒤 쯔유를 살짝 뿌린다.

 달걀이 예쁘게 말리지 않거나 찢어졌다고 포기하지 마세요. 다시마 국물이 들어가 부드럽기 때문에 김발을 이용해 식히면서 모양을 만들면 된답니다.

4.

# 연근버거
## (렌콘바그 れんこんバーグ)

마크로비오틱 전문 음식점에서 연근버거를 처음 먹었습니다. 연근의 아삭함과 당근, 양파와 같은 채소의 달콤함이 잘 어우러진데다 토마토소스의 맛까지 환상적이었답니다. 두부나 고기 버거와는 또 다른 맛에 한입 먹고 홀딱 반해 버렸어요. 그 뒤로 여러 번의 시행착오를 거쳐 저만의 연근버거 레시피를 갖게 되었습니다.

연근버거, 잡곡밥, 으깬 감자, 연근초절임, 매실차

버거를 만들고 남은 연근으로 정식 상차림에서 빠지지 않는 초절임을 만들면 좋습니다.

- **잡곡밥:** 잡곡과 현미를 섞어 씻은 뒤 1시간 정도 불렸다가 밥을 짓는다.
- **으깬 감자:** 감자를 삶아 껍질을 벗긴 뒤 올리브유, 우유, 소금, 후춧가루를 넣고 으깬다.
- **연근초절임:** 연근은 슬라이스하고 당근은 채썰어 살짝 데친 다음 소금을 약간 넣은 뒤 식초와 설탕을 2:1 비율로 넣고 절인다.
- **매실차:** 꿀에 잰 매실로 차를 끓인 뒤 차갑게 식힌다.

---

## 연근버거

1.

2.

................................................................

### 재료

연근 100g, 두부 70g, 양파 1/2개,
오트밀 · 밀가루 · 빵가루 1/4컵씩, 식용유 적당량,
소금 · 후춧가루 적당량씩, 토마토소스(토마토소스 200g,
발사믹식초 2큰술, 조청 · 설탕 · 간장 1큰술씩)

................................................................

3.

### 만드는 법

1. 연근, 두부, 양파, 오트밀, 밀가루, 빵가루, 소금, 후춧가루를 프로세서에 넣고 곱게 간다.
2. 반죽을 둥글게 빚어 기름을 살짝 두른 팬에 굽는다.
3. 한 면이 익으면 뒤집어 뚜껑을 덮고 속까지 잘 익힌다.
4. 냄비에 분량의 토마토소스 재료를 넣고 한소끔 끓인 뒤 연근버거에 붓고 살짝 버무린다.

4.

**tip** 양파를 많이 넣으면 반죽이 질어지므로 주의하세요.
반죽이 질면 오트밀을 첨가해 농도를 조절할 수 있어요.

# 12

# 연어후리카케

## (사케후레크鮭フレ一ク)

일본의 대표적인 후리카케는 연어입니다. 어린아이부터 어르신까지 모두 좋아하기 때문에 일본 가정식에서 빠지지 않지요. 연어가 가장 맛있는 가을에 많이 만들어 냉동해 두었다가 반찬이 마땅치 않을 때 두고두고 꺼내 먹는 저장음식이기도 합니다. 주먹밥으로 먹거나 밥 위에 뿌려 먹는 게 일반적입니다. 추수가 끝난 가을, 윤기가 흐르는 햅쌀밥에 얹어 먹는 그 맛은 정말 표현하기 힘들 정도로 최고랍니다.

연어후리카케, 현미밥, 멸치샐러드, 우엉당근조림, 큰실말

저장반찬에 샐러드만 곁들여 간단히 차려 먹을 수 있는 정식입니다. 연어후리카케는 소금간을 했기 때문에 간장으로 조린 반찬과 새콤한 큰실말을 곁들이면 맛의 궁합이 잘 이루어집니다. 간단히 만들 수 있는 멸치샐러드를 곁들이면 큰 수고 없이도 근사한 정식이 됩니다.

- **현미밥:** 현미를 씻어 1시간 정도 불린 다음 밥을 짓고 밥 위에 깨를 뿌린다.
- **우엉당근조림:** 채썬 우엉과 당근에 간장, 미림, 청주, 조청(2:1:1:1)을 넣고 볶는다.
- **멸치샐러드:** 샐러드용 채소에 잔멸치를 올리고 올리브유와 발사믹식초를 뿌린다.
- **큰실말:** 큰실말에 채썬 무를 넣고 식초와 쯔유를 같은 비율로 섞어 버무린다.(큰실말은 미역이나 다시마와 같은 갈조류로 일본어로 '모즈쿠もずく'라고 한다. 큰실말 대신 파래를 사용해도 된다.)

---

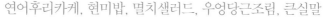

1.

2.

3.

4.

연
어
후
리
카
케

**재료**

연어 4토막, 물 1컵, 깨 · 식초 · 청주 1큰술씩, 소금 1/2큰술,
후춧가루 · 레몬즙 약간씩, 식용유 적당량

**만드는 법**

1. 팬에 연어가 자작하게 잠길 정도로 물을 붓고 청주와 식초를 넣어 연어의 표면만 익을 정도로 살짝 데친다.
2. 버터 나이프와 젓가락으로 연어 껍질을 벗긴다.
3. 팬에 기름을 살짝 두르고 **2**의 연어를 넣어 주걱으로 잘게 부수며 소금, 후춧가루로 간해 볶는다.
4. 연어가 익으면 깨와 레몬즙을 넣고 살짝 더 볶는다.

**tip** 연어는 식으면서 자연스러운 붉은색을 띠게 되므로 너무 오래 볶지 마세요. 오래 볶으면 연어가 딱딱해집니다.

# 13

# 삼치된장구이
## *(사와라노미소즈케 さわらの味噌漬け)*

일본인들은 생선과 된장을 워낙 좋아해 삼치된장구이는 일본 가정식 요리 중 베스트 5 안에
꼽히는 음식입니다. 한국의 밥도둑이 게장이라면 일본의 밥도둑은 삼치된장구이라고 할 수
있지요. 다른 반찬 없이도 밥 한 그릇 뚝딱 비우게 하는데다가 언제 먹어도 질리지 않아요.
된장과 생선이 얼마나 잘 어울리는 조합인지를 알게 해 준 고마운 요리로, 간단한 절임 반찬
한두 가지와 함께 구성하면 훌륭한 정식이 됩니다.

삼치된장구이, 현미조밥, 채소국, 풋콩, 생강초절임, 매실멸치

삼치를 된장에 절이면 담백하게 먹을 수 있습니다. 생강초절임과 매실멸치는 생선의 비린내를 없애는 데 도움이 되는 저장반찬이므로 조금씩 곁들여 주세요.

- **현미조밥:** 현미에 노란 찹쌀조를 약간 섞어 씻은 뒤 1시간 정도 불렸다가 밥을 짓는다.
- **매실멸치:** 잘게 썬 우메보시에 잔멸치, 산초를 넣고 버무린다.
- **풋콩:** 풋콩은 소금을 약간 넣은 끓는 물에 삶아 준비한다.
- **생강초절임:** 얇게 썬 생강을 데친 다음 소금, 설탕, 식초를 1/2:3:4:4 비율로 넣고 하룻밤 정도 잰다.
- **채소국:** 다시마 국물에 느타리버섯을 넣고 끓이다 간장과 소금으로 간한 뒤 무순을 듬뿍 넣는다.

삼치된장구이

1.

2.

3.

4.

**재료**

삼치 2토막, 된장 3큰술, 미림 · 청주 2큰술씩, 소금 약간

**만드는 법**

1. 삼치는 소금을 살짝 뿌리고 5분 정도 두었다가 물기를 뺀다.
2. 볼에 분량의 된장, 미림, 청주를 넣고 섞어 삼치에 바른 뒤 하룻밤 정도 냉장고에 넣어 둔다.
3. 삼치 표면에 묻은 된장을 물에 살짝 씻어낸다.
4. 삼치를 그릴에 노릇하게 굽는다.

 **tip** 삼치된장절임에 사용하고 남은 된장양념은 4~5번 정도 다른 생선에 반복 사용할 수 있어요.

# 14

## 채소조림
### (야사이노니모노 野菜の煮物)

니모노는 일본 가정식의 중심이 되는 대표 메뉴 중 하나입니다. 저장이 가능한 소박한 반찬
인 동시에 명절 대표 음식이기도 하지요.

우리나라의 명절 음식에서 전이 빠지지 않듯 일본에서는 니모노라는 뿌리채소조림이 정월
요리에서 빠지지 않는답니다. 계절에 따라 조리법과 식재료를 달리하는 것이 일본 요리의 기
본이지만, 니모노만큼은 사시사철 변함없이 밥상에 오르는 솔 푸드라고 할 수 있지요. 음식
이 쉬 상하지 않는 조림이라 평소에 먹는 영양 반찬으로도 많은 사랑을 받고 있답니다.

### 채소조림, 강낭콩밥, 두부된장국, 오이깨무침

5가지 채소를 이용해서 만든 조림은 든든한 영양 음식입니다. 여기에 콩과 두부, 오이를 주재료로 만든 음식은 한 끼에 필요한 영양의 균형을 맞춰 주어 채식 메뉴로도 참 좋은 정식입니다. 짭조름한 조림과 새콤한 무침, 구수한 국 등으로 음식 맛의 조화까지 고려해 다양한 식감과 맛을 느낄 수 있어요.

- **강낭콩밥:** 강낭콩과 현미를 씻어 물에 1시간 정도 불렸다가 밥을 짓는다.
- **오이깨무침:** 오이를 소금에 살짝 절인 다음 통깨 간 것과 식초를 2:1 비율로 넣고 버무린다.
- **두부된장국:** 가쓰오부시 국물에 먹기 좋게 썬 두부를 넣어 끓이다가 된장을 풀고 고춧가루를 살짝 뿌려 마무리한다.

---

## 채소조림

1.

2.

3.

4.

### 재료

표고버섯 2개, 감자 1개, 당근 1/2개, 연근 · 실곤약 100g씩,
가쓰오부시 국물 2컵, 간장 4큰술, 미림 2큰술, 설탕 약간

### 만드는 법

1. 표고버섯, 감자, 당근, 연근, 실곤약은 먹기 좋은 크기로 썬다.

2. 냄비에 **1**의 재료를 넣고 자작하게 잠길 정도로 가쓰오부시 국물을 부어 끓인다.

3. **2**에 설탕, 미림을 넣고 끓어오르면 간장 2큰술을 넣고 거품을 걷어낸 다음 뚜껑을 덮고 국물이 반 정도로 줄어 자작해질 때까지 중약불로 조린다.

4. 뚜껑을 열고 간장 1큰술을 넣어 국물이 1/4 정도로 줄 때까지 조린 다음 간을 보고 남은 간장 1큰술을 끼얹는다.

**tip** ┃ 일본식 조림 요리는 조리해서 바로 먹지 말고
하루 정도 보관해 두었다가 먹어야 더 맛있어요.

# 오징어조림
## (이카다이콩 イカ大根)

일본 가정식에는 셀 수 없이 많은 조림 요리가 있습니다. 무엇이든 좋아하는 재료를 넣고 조리면 근사한 조림 반찬이 되기 때문입니다. 냉장고에 남은 자투리 식재료로 만드는 대표적인 조림 요리는 어떤 재료들과 함께 사용하는지가 중요합니다. 그중 대표적인 요리로 오징어조림을 들 수 있습니다. 무가 들어간 오징어조림을 이카다이콩이라고 하는데, 오징어와 무가 서로의 맛을 돋우기 때문에 음식의 궁합이 잘 맞아 건강식으로도 좋습니다.

## 오징어조림, 검은콩밥, 마, 멸치배추무침

씹을수록 고소한 맛이 나는 식재료인 콩으로 밥을 지어 많이 씹어야 하는 오징어와 잘 어우러지도록 구성했습니다. 한국에서도 즐겨 먹는 오징어조림은 겉절이김치와 곁들이면 더욱 맛있어요. 마는 짭짤한 조림과 매콤한 무침의 자극을 완화해 주므로 함께 먹으면 좋습니다.

- **검은콩밥:** 검은콩은 전날 밤에 미리 불리고, 현미는 씻어 1시간 정도 불린 다음 밥을 짓는다.
- **마:** 마는 껍질을 벗기고 강판에 갈아 쯔유 1작은술을 넣고 잘 섞은 뒤 깨와 파래가루를 뿌린다.
- **멸치배추무침:** 배추를 소금에 절인 다음 잔멸치, 고춧가루, 다진 마늘, 참기름을 2:2:1/2:1 비율로 넣고 버무린다.

---

1.

2.

3.

4.

# 오징어조림

### 재료
오징어 1마리, 무 1/2개
양념(다시마 국물 2컵, 간장 5큰술, 미림 2큰술,
설탕 · 청주 1큰술씩)

### 만드는 법

1. 무는 적당한 크기로 썰어 끓는 물에 살짝 데친다.
2. 냄비에 분량의 양념과 무를 넣어 끓인다.
3. 한소끔 끓어오르면 모양대로 슬라이스한 오징어를 넣고 국물이 반 정도로 줄 때까지 조린다.
4. 국물이 반 이상 졸아들면 불을 끈 다음 그대로 식힌다.

tip

오징어의 색이 연하다고 간장을 더 넣거나 오래 끓이면 짜고 질겨지므로 주의하세요. 조림이 식을 때 숟가락으로 조림 국물을 떠 고루 끼얹으면 맛깔스러운 색이 납니다.

# 16

## 두부구이
### (아게다시도후 揚げ出し豆腐)

튀긴 다시마 국물 두부가 정확한 이름이지만, 간단한 조리법인 부침으로 자주 변형해서 먹기 때문에 두부구이 정식으로 소개합니다. 두부와 가지로 만드는 것이 가장 일반적인데, 두부로 만들면 '아게다시도후', 가지로 만들면 '아게다시나스'라고 합니다. 가정에서 만들어 먹을 때는 좋아하는 재료로 응용하는 경우가 많으므로 냉장고 속 재료를 사용하면 됩니다. 두부구이의 맛이 심심하지 않도록 오이절임과 같은 새콤한 반찬을 곁들이면 좋아요.

## 두부구이, 오이옥수수밥, 보리차

두부구이 정식은 두부와 가지, 토마토까지 한 접시로 먹을 수 있는 영양 만점 요리입니다. 반찬을 여러 가지 반찬을 곁들여 내는 대신 색다른 밥에 반찬 한 가지만 더해 정식으로 구성했습니다. 정식이라고 해서 꼭 다양한 반찬이 있어야 하는 것은 아닙니다. 2가지만으로도 충분히 맛과 영양이 풍부한 정식 상을 차릴 수 있어요.

- **오이옥수수밥**: 1시간 정도 불린 현미와 옥수수를 같은 비율로 섞어 밥을 지은 다음 그릇에 담고 초간장에 절인 오이를 올린다.(초간장오이는 간장, 식초, 물을 1:2:4 비율로 섞어서 끓여 오이에 붓고 2일 정도 잰 것이다.)
- **보리차**: 끓는 물에 보리차 팩을 넣고 우려 식힌다. 볶은 보리를 물에 넣고 20~30분 정도 끓여 사용해도 된다.

---

1.

2.

3.

4.

## 두부구이

.................................................

### 재료
두부 1모, 가지 · 토마토 1개씩
양념(쯔유 2큰술, 식초 1작은술, 생강 1쪽,
가쓰오부시 약간, 기름 적당량)

.................................................

### 만드는 법

1. 두부는 먹기 좋게 한입 크기로 썬 다음 표면의 물기를 제거하고 밀가루를 얇게 묻힌다.
2. 기름을 두른 팬에 두부와 슬라이스한 가지, 한입 크기로 썬 토마토를 넣고 노릇하게 굽는다.
3. 생강을 간 다음 볼에 양념 재료를 넣고 섞어 소스를 만든다.
4. 접시에 2 의 재료를 담고 3 의 소스를 뿌린 뒤 가쓰오부시를 올린다.

**tip** 미리 만들어 둔 쯔유가 없을 때는 쯔유 대신 가쓰오부시 국물 2큰술, 간장 1큰술, 식초 1작은술을 섞어서 넣어도 됩니다.

# 17

채소찜
(무시야사이 蒸し野菜)

식사를 가볍게 하고 싶을 때, 과식을 했을 때, 속이 불편할 때 자주 만드는 요리입니다. 일본 요리에서 말하는 식재료 본연의 맛을 즐길 수 있는 대표적인 음식이지요. 요리 실력을 떠나 싱싱한 재료만 있으면 근사하고 맛있는 한 상을 차릴 수 있습니다. 음식을 할 때 간이 걱정되거나 요리 과정이 복잡해 망설여진다면 채소찜 정식을 차려 보세요. 나 홀로 밥상은 물론 손님상 메뉴로도 인기 만점이랍니다.

## 채소찜, 밤밥, 버섯된장국

채소찜에 다양한 채소가 들어가 반찬이 필요 없는 정식 메뉴입니다. 식재료가 풍부한 가을에 먹으면 좋은 음식으로, 가을이 제철인 밤으로 밥을 하고 버섯으로 국을 끓인 제철 밥상입니다. 새콤한 폰스와 고소한 깨소스를 곁들이면 메인 요리의 맛이 심심해지지 않습니다.

- **밤밥:** 1시간 정도 불린 현미에 껍질을 벗긴 밤을 올려 밥을 지은 뒤 검은깨를 뿌린다.
- **버섯된장국:** 가쓰오부시 국물에 맛타리버섯을 넣고 끓이다 된장을 풀어 간한다.

---

## 채소찜

1.

2.

3.

4.

··········································

### 재료

모둠 채소(당근, 단호박, 양배추, 양파, 고구마, 연근) ·
버섯(표고버섯, 느타리버섯) 적당량씩,
간장 소스(간장 2큰술, 레몬즙 1큰술, 연겨자 약간),
깨 소스(깨 · 다시마 국물 2큰술씩, 된장 1작은술)

··········································

### 만드는 법

1. 채소는 얇게 썰어 딱딱한 것은 찜기 아래쪽에 깔고 연한 채소는 위쪽에 올린다.

2. 찜기 뚜껑을 덮고 15분 정도 찐 다음 금방 익는 재료는 먼저 꺼내고 속까지 익도록 15분 정도 더 찐다.

3. 볼에 간장과 레몬즙을 섞어 그릇에 담고 연겨자를 그릇에 약간 묻혀 취향에 맞게 먹을 수 있도록 준비한다.

4. 다른 볼에 곱게 빻은 깨, 된장, 다시마 국물을 넣고 섞어 깨 소스를 만든 다음 채소찜과 소스 2가지를 곁들여 낸다.

**tip** **찜기 뚜껑을 자주 열지 마세요. 처음에는 강불로 가열해 김이 나게 찐 다음 중불로 줄여 서서히 찌면 채소가 맛있게 익어요.**

# 18

## 채소튀김
### (야사이노텐뿌라 野菜の天ぷら)

이제는 튀김을 밥과 함께 먹어도 그리 어색하지 않지만 얼마 전까지만 해도 튀김은 길거리 포장마차에서 먹는 간식이라는 이미지가 컸어요. 길거리 음식이었지만 지금은 고급 음식으로 자리를 잡고 있는 초밥과 달리 튀김은 예전부터 고급 음식에 속했다고 합니다. 튀김은 주재료가 신선해야 하는 것은 물론 질 좋은 기름을 사용해야 하기 때문입니다. 싱싱한 재료를 고온에 튀겨 영양 손실을 막고 바삭한 식감을 살린 튀김은 밥이나 면, 어떤 것과도 환상적인 조화를 이룬답니다.

# 19

# 버섯크로켓
## (기노코고로케 きのこコロッケ)

일본에서 살기 전에는 크로켓이 아이들만 먹는 간식인 줄로만 알았어요. 처음 일본 식당에서 밥과 함께 나오는 크로켓 정식을 보고 "어떻게 다른 반찬 없이 크로켓만 나올 수 있지?"라며 의아해하던 저를 본 일본 친구는, "크로켓이 있는데 무슨 반찬이 필요해? 크로켓은 일본 가정식 중에서도 특별식이야"라고 말해 주었어요.

일본에서 크로켓은 남녀노소 누구나 좋아하는 음식이에요. 크로켓이 식탁에 오르면 "잘 먹었습니다!"라는 인사말을 더 크게 한다고 합니다. 이제는 우리 집 특별식이기도 해요.

## 18 채소튀김

채소튀김, 주먹밥, 국수, 생채소

채소튀김은 손이 많이 가기 때문에 간단히 만들 수 있는 국수로 국을 대신 했습니다. 그리고 주먹밥과 채소를 곁들여 느끼하지 않게 메뉴를 구성했어 요. 다양한 채소를 먹을 수 있어 고른 영양 섭취가 가능하고 차려 놓으면 폼 이 나 특별한 날 준비하기 좋은 정식입니다.

- **국수**: 가쓰오부시 국물에 간장과 소금으로 간한 다음 삶은 소면을 넣고 송송 썬 실파와 시 치미를 뿌린다.
- **주먹밥**: 밥에 식초, 소금, 설탕을 3:1:1 비율로 넣고 초밥을 만들어 길쭉하게 뭉친 다음 김과 잘게 채썬 깻잎으로 감싼다.
- **생채소**: 슬라이스한 오이와 방울토마토를 접시에 담아 반찬처럼 먹을 수 있게 곁들인다.

채소튀김

## 재료

모둠 채소(표고버섯, 깻잎, 가지, 단호박, 고구마, 김) 적당량씩,
밀가루 · 물 1컵씩, 무 1/5개, 쯔유 · 파래소금(파래가루와
소금을 섞은 것) 약간씩, 식용유 적당량

1.

2.

3.

4.

5.

6.

## 만드는 법

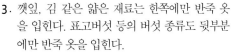
1. 볼에 밀가루와 물을 넣고 섞어 반죽한다.

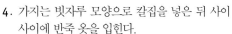
2. 단호박, 고구마 같은 단단한 채소는 얇게 슬라
   이스한 뒤 반죽 옷을 입힌다.

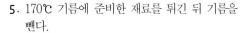
3. 깻잎, 김 같은 얇은 재료는 한쪽에만 반죽 옷
   을 입힌다. 표고버섯 등의 버섯 종류도 뒷부분
   에만 반죽 옷을 입힌다.

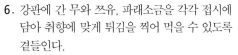
4. 가지는 빗자루 모양으로 칼집을 넣은 뒤 사이
   사이에 반죽 옷을 입힌다.
5. 170℃ 기름에 준비한 재료를 튀긴 뒤 기름을
   뺀다.
6. 강판에 간 무와 쯔유, 파래소금을 각각 접시에
   담아 취향에 맞게 튀김을 찍어 먹을 수 있도록
   곁들인다.

**tip** ┃ 튀김처럼 기름기가 있는 음식은 무와 함께 먹으면
소화와 지방 분해가 잘되므로 곁들여 먹는 것이 좋아요.

## 19 버섯크로켓

버섯크로켓, 밥, 가지된장국, 파프리카샐러드

고기가 들어가지 않은 담백한 크로켓이라 채식주의자도 먹을 수 있는 음식입니다. 신선한 가지로 국을 끓이고 상큼한 파프리카샐러드를 곁들여 영양의 균형을 잡을 수 있도록 구성했어요. 지방 분해와 소화를 돕도록 양배추도 더하고요.

- **밥:** 씻은 쌀을 30분 정도 불려 밥을 지은 뒤 큰 컵에 담아 모양을 만든 다음 접시에 담고 파래가루를 살짝 뿌린다.
- **파프리카샐러드:** 올리브유와 식초를 같은 비율로 넣고 소금과 후춧가루를 약간씩 뿌린 소스에 먹기 좋은 크기로 썬 파프리카와 다진 파를 약간 넣고 버무린다.
- **가지된장국:** 가쓰오부시 국물에 껍질을 벗긴 가지를 잘라 넣고 된장을 풀어 끓인다. 길게 썬 실파와 간 생강을 올려 맛에 포인트를 준다.

1.

2.

3.

4.

버섯크로켓

5.

6.

## 재료

버섯 100g, 감자 2개, 양파 · 달걀 1개씩, 양배추 1/4개,
빵가루 2컵, 밀가루 1컵, 소금 · 후춧가루 약간씩,
양배추 적당량, 식용유 · 돈가스 소스 적당량씩

## 만드는 법

1. 양파와 버섯은 잘게 다진다.
2. 기름을 약간 두른 팬에 양파와 버섯을 넣고 소금과 후춧가루로 간해 볶는다.
3. 감자를 삶아서 으깨 소금간을 한 뒤 2의 재료를 넣고 고루 섞어 둥글게 빚는다.
4. 3에 밀가루-달걀물-빵가루 순으로 옷을 입힌다.
5. 170℃ 기름에 노릇하게 튀긴다.
6. 양배추를 채썬 다음 튀긴 돈가스, 돈가스 소스와 함께 낸다.

**tip** 양파는 색이 노릇노릇해질 때까지 충분히 볶아야 단맛이 나서 더욱 맛있답니다. 돈가스에 곁들이는 소스는 돈가스뿐 아니라 크로켓이나 오코노미야키를 먹을 때도 활용할 수 있어요.(돈가스 소스는 p31 만드는 법을 참고하세요.)

# 20

# 모둠 솥밥
## (다키코미고항炊き込みご飯)

쉬우면서도 어려운 게 일본 요리라는 것을 실감하게 해 주는 음식이 바로 이 솥밥이 아닌가
싶습니다. 간단히 만들자 치면 한없이 간단하지만 식감을 따지면 굉장히 어렵고 복잡한 요
리라고 할 수 있지요. 일본 가정식에서는 재료를 썰어 밥솥에 모두 넣고 밥을 지은 다음 다른
반찬 없이 온 가족이 함께 먹는 게 일반적입니다. 하지만 전통적인 방법은 재료 하나하나를
따로 조리해 수분을 제거한 뒤 정확한 물과 양념, 조리시간을 엄수하고 불을 조절해가며 냄
비에 밥을 짓는 게 정석입니다. 어려운 방법은 전통 요리 전문가에게 맡기고, 간단한 방법으
로 맛있고 영양 가득한 솥밥을 준비해 보세요.

## 솥밥, 시금치된장국, 사과고구마조림, 양배추샐러드

솥밥에 시원한 녹색 채소를 넣은 시금치된장국으로 건강한 맛을 더했습니다. 다양한 채소가 들어가 따로 반찬이 필요 없는 정식이지만 입맛을 돋우고 허전함을 없애기 위해 반찬을 추가했어요. 깨를 듬뿍 넣어 고소하면서도 새콤한 양배추샐러드와 달콤한 사과고구마조림을 더해 든든한 정식을 차려 보세요.

- **시금치된장국:** 가쓰오부시 국물에 시금치를 넣고 된장을 풀어 끓인다.
- **사과고구마조림:** 사과와 고구마 1개씩을 먹기 좋게 슬라이스해 물 2컵, 기름과 레몬즙을 5큰술씩 넣고 15분 정도 국물이 없을 때까지 조린다.
- **양배추샐러드:** 가늘게 채썬 양배추에 소금을 뿌려 절인 다음 물기를 짜고 빻은 깨와 식초를 같은 비율로 넣어 버무린다.

---

1.

3.

4.

## 솥밥

### 재료
쌀 2컵, 당근 · 곤약 1/2개씩, 표고버섯 4개, 유부 2장,
물 1과 3/4컵, 양념(간장 2큰술, 미림 · 청주 1큰술씩)

### 만드는 법

1. 쌀은 씻어 체에 담아 물기를 뺀다.
2. 당근, 곤약, 표고버섯, 유부는 먹기 좋게 채썬다.
3. 솥에 쌀을 담고 **2**의 재료를 올린 뒤 물을 붓고 양념을 넣어 30분 정도 불렸다가 밥을 짓는다.
4. 밥이 되면 5분 정도 뜸을 들인 다음 고루 섞어 담아낸다.

 유부 대신 닭고기를 넣어도 좋습니다. 채소를 넣고 밥을 지을 때는 쌀을 씻어 물기를 잘 빼지 않으면 밥이 질 수 있으므로 주의하세요.

둘.
한 그릇 음식 一品料理

　돈부리丼는 한 그릇을 의미합니다. 일본에서 한 그릇 음식이라고 하면 일반적으로 돈부리, 즉 덮밥을 떠올립니다. 사발처럼 큰 그릇에 밥을 담고 그 위에 생선이나 고기 등을 조리해서 올린 덮밥 형식의 음식을 말하지요. 일본에서는 저렴하게 후다닥 한 끼를 해결하는 음식이라고 인식하기 때문에 점심 식사로 먹는 경우가 많습니다. 이와 더불어 오차즈케, 죽, 국수 등 한 그릇에 담아 먹는 일본 가정식의 한 끼 메뉴는 다양합니다.

　한 그릇으로 식사를 할 수 있지만 조금 허전하게 느껴진다면 후루룩 끓인 미소된장국에 저장반찬 한두 가지를 곁들여 보세요. 손쉽게 준비할 수 있어 요리가 힘들지 않으면서 영양은 가득한 식단이 됩니다.

● 한 그릇 메뉴의 재료와 분량은 모두 1인분 기준입니다.

# 01

## 쇠고기볶음덮밥
### (큐니쿠이타메고항 牛肉炒めご飯)

쇠고기볶음덮밥은 고기와 숙주나물을 따로 볶아 밥 위에 올려 먹는 음식이에요.
이 메뉴는 숙주를 익히는 방법이 중요한데, 숨을 죽이지 않고 생것처럼
아삭아삭함을 즐길 수 있게 조리하는 것이 포인트입니다.
쇠고기와 숙주만으로도 충분하지만 토마토를 넣으면 산미를 더할 수 있어 더욱 맛있습니다.
토마토가 제철인 여름에 자주 해 먹으면 좋아요.

1.

2.

3.

4.

5.

### 재료

밥 1공기, 숙주 120g, 간 쇠고기(등심) 100g, 토마토 1/2개,
간장 2큰술, 미림 · 청주 1큰술씩, 간 생강 1작은술,
후춧가루 · 파슬리 약간씩, 식용유 적당량

..................................................

### 만드는 법

1. 볼에 간장, 미림, 청주를 넣고 섞은 뒤 쇠고기
   와 생강을 넣고 15분 정도 잰다.
2. 토마토는 길게 채썬 뒤 씨를 빼고 잘게 다진
   다. 씨 부분은 따로 담아 둔다.
3. 팬에 기름을 두르고 1의 쇠고기를 볶는다.
   쇠고기가 어느 정도 익으면 팬 한쪽으로 밀어
   두고 숙주와 토마토를 넣어 볶다 소금과 후춧
   가루를 뿌린다.
4. 3의 팬에 토마토 씨 부분을 넣고 함께 볶는다.
5. 밥 위에 숙주와 토마토, 쇠고기를 차례대로 올
   리고 파슬리를 얹는다.

 **tip** │ 모든 재료는 단시간에 빨리 볶아야 국물이 생기지
않아 더욱 맛있는 볶음을 만들 수 있어요.

part
02-2

# 02

## 오징어회덮밥

### (이카동イカ丼)

회덮밥은 초밥보다 저렴해 가볍게 즐길 수 있는 음식입니다.
일본식 회덮밥은 밥 위에 회만 올리고 간장과 고추냉이를 곁들여 먹습니다.
또한 비벼 먹지 않고 덮밥 모양이 최대한 흐트러지지 않게 주의하면서 한쪽부터 먹는 게
식사 예절이기도 합니다.
회덮밥의 종류는 정말 다양한데, 오징어회의 경우 곱게 간 생강과 함께 먹는 것이 일반적입니다.
한국에서 구하기 힘든 시소나 묘가 대신 깻잎, 생강, 락교를 이용해도 좋습니다.

1.

2.

3.

4.

5.

### 재료
밥 1공기, 오징어(횟감용) 1마리, 깻잎 3장,
간 생강 1/2작은술, 간장 약간, 락교 적당량,
단촛물(식초 1큰술, 소금 1/2작은술, 설탕 약간)

### 만드는 법

1. 식초, 소금, 설탕을 섞어 단촛물을 만든 다음
   밥에 고루 섞는다.

2. 오징어회에 잘게 채썬 깻잎을 넣고 고루
   버무린다.

3. 락교를 채썰어 **1**의 초밥 위에 얹고 간장 몇 방
   울을 떨어뜨린다.

4. **3**의 초밥 위에 버무린 오징어회를 얹는다.

5. **4**의 초밥 위에 생강을 얹고 간장을 살짝
   뿌려 낸다.

 오징어회는 고추냉이보다 생강이 잘 어울립니다.
초밥을 만들어 올리면 좀 더 맛깔스러운 회덮밥을
즐길 수 있어요.

# 03

## 달걀덮밥
### (오야코동 親子丼)

오야코동은 '부모와 자식'이라는 뜻으로 닭고기와 달걀이 들어간 덮밥을 말해요.
일본인들은 달걀만 올리면 뭐든 맛있어 보인다고 할 정도로 달걀 요리를
무척 좋아하는 편이라 달걀로 만든 요리가 다양합니다.
달걀덮밥은 쉽게 만들 수 있는 대표적인 돈부리로 먹고 나면 한참 동안 속이 든든한
단백질 요리입니다. 저희 시아버지께서 좋아하는 음식이기도 하지요.

1.

2.

3.

4.

### 재료

밥 1공기, 닭고기(가슴살) 120g, 달걀 1개, 양파 1/2개,
파 1/4뿌리, 다시마 국물 3/4컵, 녹말가루 3큰술,
쯔유 1큰술, 소금 · 후춧가루 · 시치미 약간씩

..........................................................

### 만드는 법

1. 닭고기는 먹기 좋게 썰어 소금, 후춧가루를 뿌려 잰다.
2. 팬에 다시마 국물을 붓고 닭고기, 채썬 양파, 쯔유를 넣어 익힌다.
3. 닭고기가 익어 가면 국물에 녹말가루를 푼 다음 어슷하게 썬 파를 넣는다.
4. 3에 달걀을 풀고 뚜껑을 덮어 30초 정도 익힌 다음 불을 끄고 30초 정도 뜸을 들여 밥 위에 올린다. 기호에 따라 시치미를 살짝 뿌려도 좋다.

 **tip** 닭고기와 양파는 처음부터 다시마 국물에 넣어 익혀주세요. 끓는 물에 빨리 익히지 말고 찬물에서부터 서서히 익혀야 닭고기와 양파의 맛이 잘 어우러집니다.

# 04

## 멸치볶음밥
### (쟈코네기차항じゃこねぎチャーハン)

일본 가정에서는 볶음밥을 할 때 무청과 달걀, 파슬리와 마른 새우처럼
2가지 재료를 섞어 볶는 게 일반적이지요.
재료도 밥과 잘 어우러지도록 아주 작게 썰어 넣습니다.
무엇보다 밥알이 하나하나 고슬고슬하게 살아 있되 수분이 있는 상태를 유지시키는 것이
중요합니다. 밥은 다소 되게 짓고 재료는 강불에 재빨리 볶는 것이 포인트랍니다.

1.

2.

3.

4.

### 재료
밥 1공기, 잔멸치 1컵, 실파 2뿌리,
산초(선택) · 소금 약간씩, 식용유 적당량

..........................................................

### 만드는 법

1. 실파는 송송 다진다.
2. 기름을 두른 팬에 잔멸치와 산초를 넣고 볶는다.
3. 멸치가 살짝 볶아지면 밥을 넣고 함께 볶는다.
4. 3에 다진 파를 넣고 한 번 더 볶아 마무리한다.

 **tip** 멸치에 소금간이 되어 있으므로 따로 간을 할 필요는
없지만 맛을 본 뒤 싱거우면 소금으로 간을 조절하세요.

# 05

## 두부데리야키덮밥
### (토후노테리야키동 豆腐の照り焼き丼)

데리야키는 윤기를 뜻하는 '데리'와 굽다를 뜻하는 '야키'의 합성어로 윤기가 도는 구이를 말합니다. 맛깔스러운 윤기는 간장, 미림, 설탕으로 만든 간장 소스에 달려 있어요. 닭고기, 생선 등 데리야키의 종류는 다양한데, 두부를 유난히 좋아하는 저는 두부데리야키를 자주 만들어 먹어요. 일본의 선술집이나 음식점에서 데리야키를 쉽게 먹을 수 있지만, 두부데리야키는 가정집이 아니면 먹기 어려우므로 직접 만들어 보세요.

1.

2.

3.

4.

5.

### 재료

밥 1공기, 두부 1/2모, 쑥갓 50g, 식용유 적당량,
데리야키 소스(간장 1과 1/2큰술, 미림 1큰술,
청주 1/2큰술, 설탕 1작은술)

### 만드는 법

1. 두부는 물기를 제거하고 밀가루를 고루 입힌다.
2. 기름을 두른 팬에 두부를 넣고 뒤집어 가며 양면을 노릇하게 굽는다.
3. 두부가 구워지면 데리야키 소스 재료를 모두 넣고 양념이 배도록 익힌다.
4. 두부를 그릇에 담고 팬에 남은 소스에 쑥갓을 넣어 10초 정도 살짝 볶는다.
5. 밥 위에 4 의 쑥갓을 얹고 두부데리야키를 올려 낸다.

 **tip** 쑥갓 대신 시금치 같은 제철 녹색 채소로 만들어도 좋습니다.

# 06

## 양념초밥
### (지라시스시 ちらし寿司)

한국에 수많은 종류의 김밥이 있듯이, 일본에는 수많은 종류의 초밥이 있습니다. 양념초밥도 그 중에 한 가지인데, 어떤 재료를 넣느냐에 따라 다양하게 만들 수 있어요. 일본 가정에서는 냉장고에 있는 평범한 재료들을 살짝 데친 다음 초밥에 고루 섞어 먹는 간단한 지라시스시를 즐겨 먹습니다. 가볍게 먹을 수 있는 점심 메뉴로 추천합니다.

1.

2.

3.

4.

5.

**재료**
밥 1공기, 연근 50g, 마른 새우 30g,
깻잎 3장, 검은깨 · 통깨 1/2큰술씩,
단촛물(식초 1큰술, 소금 1작은술, 설탕 1/2작은술)

............................................................

**만드는 법**

1. 식초, 소금, 설탕을 섞어 단촛물을 만든 다음 고슬고슬하게 지은 밥에 조금씩 뿌려 가며 반만 섞는다.
2. 마른 새우는 깨끗한 행주에 올려놓고 듬성듬성 썬다.
3. 연근은 얇게 슬라이스해 끓는 물에 살짝 데친 다음 남은 단촛물에 5분 정도 담가 둔다.
4. 초밥에 새우, 검은깨, 통깨를 넣고 섞는다.
5. 단촛물에서 연근을 건져 초밥에 넣고 채썬 깻잎을 흩뿌려 섞은 뒤 그릇에 담는다.

초밥은 단촛물과 밥이 얼마나 잘 어우러졌는지가 중요합니다. 밥에 단촛물을 넣을 때는 뜨거운 밥에 부채질을 하면서 넣어 신맛을 날려 보내야 맛있는 초밥을 만들 수 있어요.

# 07

## 꽁치덮밥
### (산마노가바야키 さんまのかば焼)

가바야키는 긴 생선의 배를 갈라 뼈를 모두 제거한 다음 달콤한 간장 소스를 발라
구운 것을 말합니다. 데리야키와 양념이 거의 같은데 생선에 뼈가 있으면 데리야키,
없으면 가바야키입니다. 일본 가정집에서는 꽁치, 장어, 삼치 등의 생선 중 기호에 맞는 것을
골라 먹으므로 다양한 생선으로 응용이 가능합니다.

1.

### 재료

밥 1공기, 꽁치 1마리, 파 1뿌리, 깻잎 3장, 간 무 1큰술,
밀가루 · 식용유 적당량씩, 소금 · 깨 약간씩,
데리야키 소스(간장 1큰술, 청주 · 미림 1/2큰술씩, 설탕 약간)

2.

### 만드는 법

1. 꽁치는 배를 가르고 내장과 뼈를 발라낸 다음 가로
   로 4등분해 소금을 약간 뿌리고 밀가루로 얇게 옷
   을 입힌다.
2. 기름을 두른 팬에 꽁치의 껍질이 밑으로 향하게
   놓고 구운 뒤 뒤집어 다른 면도 노릇하게 굽는다.
3. 분량대로 섞은 데리야키 소스를 **3** 의 팬에 부어
   익힌다.
4. 밥 위에 꽁치를 얹고 갈아 놓은 무를 올린다.
5. 파와 깻잎을 얇게 채썰어 **4** 위에 올린 뒤 깨를
   뿌린다.

3.

**tip** 생선에 소금을 뿌리면 물기가 생기는데 이것이 비린내의
원인이 되므로 밀가루 옷을 입히기 전에 물기를 깨끗이
닦는 것이 좋아요. 또한 꽁치를 껍질부터 바삭하게 구우면
비린 맛을 더 줄일 수 있습니다.

4.

5.

**08**

# 가지덮밥
## (나스동 なす丼)

일본 가정에서 즐겨 먹는 가지덮밥은 고기와 된장을 함께 볶는 요리입니다.
저는 두부를 좋아해 고기 대신 두부로 대체해 보았어요.
두부를 넣으면 맛이 더욱 부드러워 가지와 조화를 잘 이루는데다 푸짐해 보이기까지 해
채식이지만 고기 못지않게 만족감을 준답니다. 가지가 제철일 때 먹으면 좋아요.

1.

### 재료

밥 1공기, 가지 1개, 두부 1/2모, 참기름 1/2큰술,
고춧가루 약간, 식용유 적당량,
된장양념(다시마 국물 4큰술, 된장 1큰술,
다진 파 1작은술씩, 다진 생강 1/2작은술)

2.

### 만드는 법

1. 기름을 두른 팬에 다진 생강과 파를 넣어 볶다가
   가지를 잘게 썰어 넣고 볶는다.
2. 두부를 손으로 대강 뜯어 **1**에 넣고 잘게 부수어
   가면서 가지와 함께 볶는다.
3. 분량의 재료를 섞어 된장양념장을 만든 뒤 **2**에
   넣고 볶는다.
4. 밥 위에 **3**의 볶은 가지를 올리고 참기름과
   고춧가루를 섞어 가지 위에 살짝 뿌린다.

3.

**tip** 두부를 손으로 뜯어 넣으면 된장양념이 두부 속까지
고루 배고 가지와 걸돌지 않게 됩니다.

4.

**09**

# 쇠고기덮밥
(규동牛丼)

규동은 일본에서 학생과 직장인들에게 인기 있는 메뉴입니다.
저렴한데다 빨리 먹을 수 있어 점심으로 즐겨 먹지만 야식으로 규동 체인점을 찾는 경우도
많습니다. 여성보다는 남성들에게 더 인기가 있는데, 이는 밥의 양이 넉넉하기 때문이기도 해요.
일본인들은 규동을 먹다 밥만 남으면 그릇에 깔린 자작한 국물과 함께 먹곤 합니다.
가정에서도 간단하게 만들 수 있기 때문에 주말 점심의 단골 요리이기도 하지요.

1.

2.

3.

4.

### 재료
밥 1공기, 쇠고기(불고기용) 120g, 양파 1/2개,
후춧가루 · 생강절임 약간씩,
양념장(생강 1쪽, 물 3/4컵, 쯔유 2큰술,
청주 · 미림 1/2큰술씩, 설탕 약간)

### 만드는 법

1. 냄비에 분량의 양념장 재료를 넣고 한소끔 끓인다.
2. 양념장이 끓어오르면 채썬 양파를 넣고 조금 더 끓인다.
3. 2에 먹기 좋게 슬라이스한 고기와 후춧가루를 넣고 볶는다.
4. 고기가 익으면 불을 끄고 따끈한 밥 위에 올린 다음 기호에 따라 생강절임을 곁들여 낸다.

**tip** 쇠고기는 너무 오래 익히면 질겨지므로
고기의 붉은색이 가시면 바로 불을 끄세요.

part
02-2

# 10

## 현미오차즈케
### (겐마이오차즈케 玄米お茶漬け)

오차즈케는 손님상에서 모든 요리를 먹고 식사를 마무리할 때, 아니면 식사가 늦어져
끼니를 거르기에는 허전하고 차려 먹자니 번거로울 때 주로 먹어요.
그래서 대부분 집에 있는 저장음식을 올리고 녹차를 끓여 부어 먹거나
인스턴트 오차즈케를 사용하는 경우가 많답니다.
하지만 손님상에 내는 경우에는 도미회나 장어 등 특별한 토핑을 준비합니다.

1.

2.

3.

4.

**재료**

밥 1공기, 우메보시 · 쯔유에 절인 표고버섯 1개씩,
녹차 1큰술, 현미찹쌀 1작은술, 참나물 약간

.........................................................

**만드는 법**

1. 표고버섯은 채썰고, 우메보시는 씨를 빼고 다
   진다.(쯔유를 만들고 남은 표고버섯을 사용하
   면 좋다.)

2. 현미찹쌀은 깨끗이 씻은 뒤 체에 받쳐 물기를
   빼고 팬에 볶는다.

3. 현미찹쌀이 연한 갈색을 띠며 팝콘처럼 톡톡
   튀고 하얀 속살이 나올 때까지 볶는다.

4. 그릇에 밥을 담고 표고버섯, 우메보시, 현미찹
   쌀을 올린 뒤 따끈한 녹차를 부어 낸다.
   기호에 따라 참나물을 곁들여도 좋다.

 녹차는 먹기 직전에 밥에 부어야 맛있어요. 볶은 현미
찹쌀은 실온에 두어도 되지만 냉장실에서는 3개월,
냉동실에서는 1년 정도 보관할 수 있으므로 한 번에
넉넉히 만들어 두고 사용하면 편리해요.

# 11

## 카레볶음덮밥
### (도라이카레 ドライカレー)

일본에는 재료와 농도를 달리해서 다양한 이름을 붙인 카레 메뉴가 많습니다.
그중 도라이카레는 걸쭉하지 않은, 국물이 없는 카레를 말합니다.
끓이지 않고 팬에 볶는 형식으로 만들게 되지요.
보통 카레는 고기, 감자, 당근, 양파를 넣어서 만드는데 검은콩 같은 건강 재료를
사용하면 담백하면서 느끼하지 않아 좋습니다.

1.

2.

3.

4.

5.

### 재료

밥 1공기, 검은콩 1/2컵, 피망 1개,
양파 1/2개, 당근 1/3개, 소금 약간,
식용유 적당량, 카레 소스(물 3큰술, 카레가루 1큰술,
녹말가루 1/2큰술, 간장 1작은술)

### 만드는 법

1. 검은콩은 하룻밤 물에 불린 다음 손가락으로
   눌렀을 때 으깨질 정도로 부드럽게 삶는다.
2. 삶은 콩은 포크로 대강 으깬다.
3. 양파, 당근, 피망은 잘게 썬다.
4. 볼에 분량의 재료를 넣고 풀어 카레 소스를
   만든다.
5. 기름을 두른 팬에 양파, 피망, 당근을 넣고 소
   금으로 간해 볶다 검은콩을 넣고 볶는다. 채소
   가 익으면 카레 소스를 붓고 볶다 물기가 없어
   지고 소스가 재료와 잘 어우러지면 밥 위에 올
   린다.

 삶은 콩을 포크로 으깨서 넣으면 콩에 카레 맛이
잘 배어듭니다.

# 12

## 참치야키소바
### (츠나야키소바ツナやきそば)

우리나라의 떡볶이와 같은 일본의 대표적인 길거리 간식인 야키소바는 국수, 양파, 양배추,
돼지고기를 간장으로 간해 큰 철판에 볶는 푸짐하고 먹음직스러운 음식입니다.
간장 소스에 볶는 야키소바가 일반적이지만, 소금으로 간한 시오야키소바도 있습니다.
야키소바의 면은 일반 국수보다는 구불거리고 라면보다는 덜 밋밋한 것이 특징이지만
우동과 같은 다른 면을 사용할 수도 있습니다. 부재료도 고기, 생선, 해물 등 취향에 따라
선택하면 됩니다.

1.

2.

3.

4.

5.

**재료**

야키소바용 국수 1인분(100g), 양배추 1/6개,
양파 · 참치 캔 1개씩, 식용유 적당량,
양념장(쯔유 2큰술, 미림 · 청주 1작은술씩)

·········································································

**만드는 법**

1. 양배추는 먹기 좋게 손으로 찢는다.
2. 국수는 끓는 물에 넣어 부르르 끓어오르면 찬
   물 1컵을 부어 삶는다. 국수가 익으면 바로 찬
   물에 씻어 끈기를 없애고 채반에 올려 손으로
   살짝 누르면서 물기를 최대한 뺀다.
3. 양파는 길게 채썰어 기름을 두른 팬에 볶는다.
4. 3의 팬에 양배추와 참치를 넣고 볶다 뚜껑을
   덮고 익힌다.
5. 4에 국수와 분량의 재료를 섞은 양념장을 넣
   고 후다닥 볶아낸다. 기호에 따라 파래가루를
   뿌린다.

**tip** 시판 쯔유는 단맛이 조금 강한 편입니다. 집에서 쯔유를
만들어 사용하면 담백해서 야키소바용 양념장으로 잘
맞습니다. 시판 야키소바 소스를 사용해도 됩니다.

part
02-2

# 13

## 카레우동
### (카레우동カレーうどん)

일본 가정집에서 일주일에 세 번은 만들어 먹는 음식이 카레라는 통계가 나올 정도로
일본인의 카레 사랑은 유난합니다.
때문에 카레를 이용한 밥, 빵, 국수 등 메뉴가 다양한 편이에요.
카레우동은 가쓰오부시 국물을 넣어 농도가 묽고 유부, 파, 양파 같은 부재료를 넣어
만드는 것이 특징이에요. 걸쭉한 카레 소스에 삶은 우동을 넣어 먹는 별미로 유명하지요.

1.

### 재료

우동 1인분(100g), 양파 · 달걀 1개씩, 유부 2장, 파 50g,
가쓰오부시 국물 2컵, 간장 1큰술, 소금 · 후춧가루 약간씩,
식용유 적당량, 카레 소스(가쓰오부시 국물 3큰술,
카레가루 1큰술, 녹말가루 1/2큰술)

·······························································

2.

### 만드는 법

1. 분량의 재료를 섞어 카레 소스를 만든다.
2. 팬에 기름을 살짝 두르고 채썬 양파, 어슷썬 파,
   슬라이스한 유부, 소금, 후춧가루를 넣고 볶는다.
3. 채소가 살짝 익을 때쯤 가쓰오부시 국물을 넣고
   한소끔 끓인 다음 카레 소스를 넣고 끓인다.
4. 국물이 자작하게 졸아들면 소금, 후춧가루, 간장으로
   간을 맞춘다.
5. 끓는 물에 우동을 삶아 물기를 빼고 그릇에 담은 뒤
   4의 카레 소스를 붓고 삶은 달걀을 얹어낸다.

3.

 **tip** 유부는 끓는 물에 살짝 넣었다 빼거나 뜨거운 물로 헹궈
기름기를 제거한 뒤 음식에 넣으면 느끼하지 않아요.

4.

5.

part
02-2

# 14

# 가쓰오부시덮밥
## (네코맘마ねこまんま)

네코맘마라는 이름을 처음 들었을 때 아기가 밥을 달라고 하는 모습이 연상되어
귀엽기도 하고 참 재미있다는 생각을 했어요. 일본어로 '네코'는 고양이를 말하는데,
일본 고양이들은 가쓰오부시를 잘 먹는다고 합니다. 네코맘마는 가쓰오부시가 주재료이기
때문에 '고양이 밥'이라는 뜻의 '네코맘마'라는 이름이 붙여졌다고 해요.
가쓰오부시덮밥은 밥에 가쓰오부시와 간장을 뿌려 먹는 초간단 요리로,
공부하는 학생들의 야식으로 먹기 좋은 가벼운 음식입니다.

1.

### 재료

밥 1공기, 깨 1작은술, 가쓰오부시 2~3g,
구운 김 1/2장, 간장 · 깨 약간씩

### 만드는 법

1. 구운 김을 손으로 잘게 찢어 가쓰오부시와
   섞는다.
2. 깨는 곱게 빻는다.
3. 밥 위에 **1**을 올리고 깨를 뿌린다.
4. 먹기 전에 간장을 살짝 뿌린다.

**tip** 간장은 한꺼번에 넣지 말고 취향에 맞게 뿌리는 것이
좋아요. 입맛에 맞게 조금씩 뿌려 가면서 먹어야
더 맛있습니다.

2.

3.

4.

# 15

part
02-2

## 기시면
*(기시멘きしめん)*

기시면은 모양이 굵고 납작한 국수로 나고야 지역의 명물입니다.
일반적으로 널리 알려진 우동과 만드는 방법은 같습니다.
국수 모양만 다를 뿐인데 신기하게도 맛의 차이가 느껴지는,
일본인이라면 누구나 알고 있는 명물 국수랍니다.
기시면을 구하기 힘들 경우 일반 우동면으로 대체할 수 있습니다.

### 재료

기시면 1인분(100g), 생미역 50g, 파(흰 부분) 1뿌리,
가쓰오부시 국물 3컵, 간장 1큰술, 소금 · 시치미 약간씩

......................................................................

### 만드는 법

1. 국수는 끓는 물에 넣어 부르르 끓어오르면 찬
   물 1컵을 붓고 부드러워질 때까지 5분 정도 더
   삶는다.
2. 삶은 국수는 체에 밭쳐 물기를 뺀 뒤 그릇에
   담는다.
3. 가쓰오부시 국물에 간장, 소금으로 간해 끓이다
   생미역을 넣고 한소끔 더 끓인다. 미역이 익으면
   맛을 보고 소금으로 간을 맞춘다.
4. 국수를 담은 그릇에 3을 붓고 송송 썬 파를
   올린 뒤 시치미를 뿌려 낸다.

 **국물은 간장과 소금을 함께 넣어야 맛있어요.**
간장과 소금으로 간하면 따로 국간장을 사용할 필요가
없습니다.

# 16

## 낫토덮밥
### (낫토고항納豆ご飯)

낫토는 일본 청국장이라고 할 수 있는데 우리 청국장과는 조금 달라요.
우리 청국장은 콩을 발효시켜 만들고 낫토는 발효균을 따로 배양해서 만드는 것이
가장 큰 차이입니다. 일본 가정에서는 아침 식사로 장운동을 활발하게 하고
몸을 깨끗하게 하는 음식을 먹는 습관이 있어서 된장국이나 낫토 같은 발효음식을
즐겨 먹어요. 낫토는 주로 덮밥으로 먹는데, 가정에서는 물론 호텔에서도 조식으로
늘 준비할 정도로 대표적인 아침 메뉴입니다.

1.

2.

3.

4.

**재료**

밥 1공기, 낫토 1인분(50g), 파 30g,
쯔유 1/2큰술, 연겨자 약간

**만드는 법**

1. 파는 다듬어 세로로 길게 가른 다음 잘게 다진다.
2. 볼에 낫토, 다진 파, 쯔유를 넣고 섞는다.
3. 낫토에서 끈기가 생기고 거품이 날 정도로 젓
   가락으로 잘 휘젓는다.
4. 3의 낫토를 밥 위에 올리고 연겨자를 곁들여
   낸다.

 낫토에서 진액이 생겨 거품이 날 때까지
많이 저어야 맛있어요.

part
02-2

17

# 생선죽

## (오카유 おかゆ)

일본 죽 오카유는 한국의 죽과는 약간 차이가 있어요.
한국에서는 생쌀로 죽을 쑤지만 일본에서는 밥에 물을 붓고 끓여 먹는답니다.
게다가 먹다 남은 찬밥이나 반찬 등 자투리 식재료로 만드는 것이 일반적이에요.
가장 기본인 오카유는 우메보시 1개만 넣어 먹는 죽이지요.
오카유는 보통 추운 겨울 아침 식사로 자주 먹는데, 감기에 걸리거나
몸이 좋지 않을 때도 끓이곤 합니다.

1.

2.

3.

4.

### 재료
밥 1공기, 물 2컵, 구운 생선(도미) 적당량,
우메보시(매실장아찌) 1개

### 만드는 법
1. 생선은 구워 가시를 발라내고 먹기 좋은 크기로
   부서뜨린다.(먹고 남은 생선구이를 활용하면
   편리하다.)
2. 냄비에 밥을 담고 물을 부어 보글보글 끓어오르면
   생선살을 넣는다.
3. 밥이 부드러워질 때까지 푹 끓인다.
4. 죽을 그릇에 담고 우메보시를 올린다.

 **tip** | 생선을 굽기가 번거로울 때는 넣지 않아도 됩니다.
죽을 끓여 우메보시만 넣고 먹어도 충분해요.

# 18

## 마메밀국수
### (도로로소바 とろろそば)

일본에서는 점심 식사로 면 요리를 먹는 경우가 많은데

마메밀국수는 점심은 물론 아침, 저녁 식사로도 인기 있는 독특한 국수 요리입니다.

마를 갈아서 국수에 올려 먹기 때문에 아침에 먹어도 위에 부담이 없어요.

1월 2일 일본에서는 아침 식사로 마메밀국수를 먹는 전통이 있습니다.

만들기 쉬운 음식이라 정월 음식을 만드느라 지친 주부들의 수고를 덜어 주고, 포식한 위를 달래 준다는 의미가 함축되어 있습니다.

이렇게 특별한 날뿐 아니라 과식한 다음 날이나 속이 불편한 날 먹어도 좋아요.

1.

2.

3.

4.

### 재료

마 100g, 메밀국수 1인분(100g), 가쓰오부시 국물 1/2컵,
쯔유 1큰술, 소금 약간, 김 1/4장

.......................................................

### 만드는 법

1. 마는 깨끗이 손질해 먼저 1/5 정도만 간다.

2. 가쓰오부시 국물에 쯔유와 소금을 넣고 섞어 1에 조금씩 넣으며 마를 간다. 분량의 마를 다 갈 때까지 1과 2의 과정을 반복한다.

3. 국수는 끓는 물에 넣어 부르르 끓어오르면 찬물 1컵을 붓고 조금 더 끓여 찬물에 헹군 뒤 체에 밭쳐 둔다.

4. 그릇에 국수를 담고 2의 마 소스를 올린 뒤 김을 잘게 잘라 얹는다.

 마를 전부 간 다음 가쓰오부시 국물을 부으면 소스의 감칠맛이 떨어집니다. 마를 갈면서 국물을 조금씩 부어 마와 국물을 잘 결합시키는 것이 중요합니다.

# 19

## 냉된장국
### (히야지루冷や汁)

히야지루는 차게 먹는 된장국으로 여름에 즐겨 먹는 별미입니다.
많은 재료를 넣지 않고 채소 1~2가지만 후루룩 끓이는 국이지요.
집에 있는 어떤 재료를 넣어도 좋지만, 오이는 꼭 넣어야 합니다.
이렇게 만든 냉된장국을 밥 위에 부어 일품요리로 먹는 게 일반적입니다.

**재료**
밥 1공기, 오이 1개, 깻잎 3장, 파(흰 부분) 1뿌리, 가쓰오부시 국물 1
과 1/2컵, 깨 3큰술, 된장 1/2큰술, 고춧가루 약간

**만드는 법**

1. 깨 2큰술을 곱게 갈아 된장에 넣고 섞은 뒤
   가쓰오부시 국물을 부어 잘 섞는다.
2. 1에 얇게 슬라이스한 오이와 잘게 다진 파, 채썬
   깻잎을 넣는다.
3. 밥 위에 2의 냉국을 국자로 떠 넣고
   방울토마토를 2등분해 얹는다.
4. 남은 깨 1큰술을 갈아 뿌린다. 기호에 따라
   고춧가루를 첨가해도 좋다.

 **tip** 깨는 음식을 먹기 직전에 갈아서 사용해야 훨씬 고소
합니다. 된장과 깨를 섞을 때는 으깨듯이 눌러 가며
풀어야 국물 맛이 더욱 좋아집니다.

**20**

# 곤약덮밥
## (콘냐크동こんにゃく丼)

곤약은 곤약 다이어트라는 말이 생길 정도로 다이어트 식품으로도 인기입니다.
칼로리가 거의 없는데다 변비에도 좋아 다양한 요리에 응용하기 좋고
실곤약으로 국수를 대신하기도 합니다.
곤약은 일본 음식에 흔히 사용하는 식재료인데, 곤약 특유의 쫀득쫀득함과
오돌오돌 씹히는 식감을 살리는 것이 중요해요.

1.

### 재료

밥 1공기, 곤약 150g, 녹색 채소(상추, 치커리, 쑥갓, 배추) 70g,
소금 약간, 식용유 적당량, 양념장(간장 · 미림 · 청주 1큰술씩,
다진 마늘 · 고춧가루 약간씩)

2.

### 만드는 법

1. 곤약은 슬라이스해 뜨거운 물로 한 번 헹군 뒤
   물기를 빼고 칼집을 넣는다.
2. 녹색 채소는 소금을 약간 넣고 절인다.
3. 기름을 두른 팬에 곤약을 넣고 앞뒤로 바삭하게
   굽는다.
4. 구운 곤약에 분량의 재료를 넣고 섞어 만든 양념장
   을 붓고 간이 잘 배도록 익힌다.
5. 소금에 절인 채소의 물기를 꼭 짜 밥에 섞은 뒤
   곤약을 올려 낸다.

3.

**tip** 양념장을 만들 때 참기름을 약간 넣어도 맛있어요.
고춧가루는 기호에 맞게 조절하세요.

4.

5.

일본의　소식문화

처음 일본에 살기 시작했을 때 참 이상하다고 생각한 식문화가 있었어요. 일본 사람들이 "다이스키 大好き!"라고 외치고는 음식을 한입만 먹고 마는 거예요. 다이스키는 '엄청 좋아한다'는 말인데 "포도 다이스키!" 하고는 포도를 달랑 3알만 먹는 식이었어요. 복숭아 1개를 4명이 나누어 먹는 것도 일반적이고요. 그러니 이런 일본 사람들 앞에서 어떻게 포도 1송이나 복숭아 1개를 혼자 먹을 수 있겠어요.

사과를 2개씩만 사오는 남편과 달리 친정 엄마는 늘 "사과는 한 박스씩 사다 놓고 먹어!"라고 말씀하셨죠. 그러다 보니 웃지 못할 일도 있었답니다. 일본에 오신 친정 엄마가 "우리 포도랑 복숭아 한번 실컷 먹어 보자. 답답해서 못살겠다" 그러시는 거예요. 그래서 집에 아무도 없을 때 저와 엄마는 다시 쳐다보기도 싫을 정도로 엄청나게 많은 포도와 복숭아를 먹어치웠답니다. 일본 식생활에 익숙해진 지 이미 오래되었지만, 워낙 먹는 것을 좋아하는데다 자잘한 것이 답답해 보이는 전형적인 한국 사람인지라 먹는 양만큼은 융화되지 못할 것 같아요.

일본 사람들은 '소식小食'의 중요성을 크게 인식하고 있고 '약도 지나치면 독이 된다'는 말을 교훈으로 삼고 있습니다. 그래서 일본에 있으면 한국에서 말하는 '한입(히토구치一口)'이라는 말을 계속 듣게 됩니다. 언젠가 TV에서 120세 할아버지의 식생활을 본 적이 있는데, 한 끼 식사로 밥, 국, 디저트를 포함해 12가지 음식을 소량씩 먹는 식습관을 실천하고 있었어요. 물론 방울토마토 1개, 두부 1쪽, 콩 10알 등 그 양이 무척 작았지요. 이렇듯 일본에는 '하라하치부腹八分'라는 말이 식생활의 기본으로 자리 잡혀 있습니다. '배의 80%만 채우는 것이 건강의 비법'이라는 말인데요, 실제로 항상 소식을 실천하면서 장수하는 분이 많답니다.

가끔 먹는 특별한 밥상

part

# 03

　　식문화가 서구화되었던 일본에서는 최근 다시 전통 음식으로 돌아가는 추세입니다. 특별한 날 먹는 외식도 서양 음식에서 가정식으로 전환되고 있어요. 그렇다고 옛날 방식 그대로 먹는 것이 아니라 전통 방식을 변형시킨 일본의 식문화가 생겨나고 있습니다.

　　특별한 날 먹는 음식은 크게 손님상 메뉴와 도시락 메뉴로 구분할 수 있습니다. 음식 알레르기, 성인병 등으로 인해 음식 먹는 취향이 다양해지면서 본인이 좋아하는 음식을 골라 입맛에 맞게 소스의 양을 조절하면서 먹을 수 있는 메뉴로 차리는 추세입니다. 손님이 오신다고 하면 푸짐하고 근사하게 차리기 위해 며칠 전부터 신경이 많이 쓰여 스트레스가 되기 쉬운데, 최근에는 많은 양을 먹지도 않거니와 요리 후 지친 모습을 보이는 것보다 여유로운 모습을 보이는 것이 이상적인 손님 접대로 여겨지고 있습니다.

　　집에서 만든 음식으로 손님을 접대하는 풍토가 살아나면서 도시락 문화도 다시 붐이 일고 있어요. 외식을 하거나 포장된 도시락을 사 먹는 것보다 입맛에 맞는 건강 도시락을 선호하는 풍토가 생겨나고, 외식 대신 도시락을 싸서 다니는 직장인도 늘고 있어요. 최근 일본에서 인기 있는 야외 음식과 현대화된 일본식 메뉴를 구성해 보았습니다.

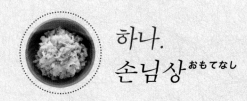

# 하나.
## 손님상 おもてなし

　　일본도 한국처럼 손님을 집으로 초대해 식사를 하곤 해요. 최근에는 외식으로 손님을 접대하는 경우가 많아 가정에서 차린 상이 더 가치 있게 평가됩니다. 재미있는 점은 일본에서는 모든 것을 직접 만들지 않는다는 것입니다. 30%에서 많게는 50%까지 프로의 손을 빌립니다. 예를 들면, 초밥은 유명한 음식점에서 배달시키고 국이나 반찬 몇 가지는 직접 만드는 식입니다. 또 한 가지는 간을 전혀 하지 않고 취향에 따라 골라 먹을 수 있는 메뉴를 준비합니다. 가정 요리는 가족의 입맛에 맞추기 때문에 손님들의 입맛에까지 맞기가 쉽지 않습니다. 먹는 사람이 자기 입맛에 맞는 것을 골라 먹을 수 있는 상황이라면 서로가 당황스럽지 않지요. 최근에는 직접 맛과 간을 결정할 수 있는 '나베鍋'라는 냄비 요리가 인기예요. 무엇이든 싱싱한 재료만 준비하면 바로 끓여 먹을 수 있어 만들기도 간단하고 푸짐하답니다.

　　이렇듯 메인 요리와 곁들이 음식 몇 가지만 준비하면 까다롭지 않아서 만드는 사람, 먹는 사람 모두 만족스러운 만찬을 즐길 수 있습니다.

● 손님상 메뉴의 재료와 분량은 요리마다 각각 표기해 두었습니다.

**01**

# 튀김과 메밀국수(텐자루天ざる)

텐자루는 튀김과 채반에 담은 메밀국수로 여름에 자주 먹는 별미입니다.
담백한 메밀국수와 바삭한 튀김은 맛과 식감 모두 최고의 조합이지요.
자루소바와 함께 나오는 튀김은 종류가 다양하지만,
가장 일반적인 것은 여러 종류의 튀김이 1개씩 나오는 모둠 튀김입니다.
모둠 튀김은 채소 위주로 구성되며 무와 함께 곁들여 먹습니다.
기름기가 있는 음식은 무와 함께 먹으면 소화가 잘될 뿐 아니라
지방의 흡수를 막기 때문이에요. 가정에서 모둠 튀김을 할 때는
고구마와 양파를 기본으로 당근, 깻잎 등 집에 있는 채소를 더해 만들면 됩니다.

## 튀김과 메밀국수, 가지토마토조림

채소튀김과 메밀국수만 준비하면 다소 심심해 보일 수 있는데, 토마토소스에
조린 가지를 곁들이면 새콤달콤한 맛이 더해져 다양한 맛을 즐길 수 있는 손
님상이 완성됩니다. 메밀국수는 개인 소바 접시에 담고, 튀김은 한꺼번에 푸
짐하게 담아 덜어 먹을 수 있게 준비합니다. 양념소금을 준비해 튀김을 찍어
먹을 수 있게 하면 더욱 좋습니다.

# 튀김과 메밀국수

2인분

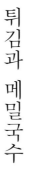

## 재료

메밀국수 200g, 양파 · 고구마 · 달걀 1개씩,
당근 1/3개, 깻잎 3장, 파(흰 부분) 1뿌리,
밀가루 · 물 · 쯔유 · 가쓰오부시 국물 1컵씩,
고추냉이 · 채썬 김 약간씩,
양념소금(소금 · 깨 · 파래가루 1큰술씩)

## 만드는 법

1. 양파, 고구마, 당근은 길고 도톰하게 썰고,
   깻잎은 손으로 길게 찢는다.

2. 밀가루에 달걀과 물을 넣어 반죽한 뒤 준비한
   채소를 넣고 섞는다.

3. 2의 반죽을 둥글게 떠서 170℃ 기름에 넣고
   튀긴다. 튀김이 익으면 잠깐 위로 들었다가
   다시 담가 노릇하게 튀긴 다음 체에 받쳐
   기름을 뺀다.

4. 메밀국수는 끓는 물에 삶아 찬물에 헹군 뒤
   물기를 빼 접시에 담고 위에 채썬 김을 올린다.

5. 파는 송송 썰어 접시에 담고, 가쓰오부시 국물과
   쯔유를 섞어 소스를 만든 뒤 고추냉이, 국수와
   함께 낸다.

6. 소금, 깨, 파래가루를 섞어 양념소금을 만든 뒤
   튀김과 곁들여 낸다.

 **tip** 양념은 각각 접시에 담아 기호에 맞게 조절해서
먹을 수 있도록 준비합니다.

# 가지토마토조림

(나스토토마토노니모노
なすとトマトの煮物)

**재료** | 가지 · 토마토 1개씩, 홀토마토 1/2캔,
다진 파 · 다진 마늘 1작은술씩, 소금 약간, 올리브유 적당량

만드는 법

**1.** 가지는 도톰하게 슬라이스
해 큰 것은 반으로 자른다.

**2.** 팬에 올리브유를 두르고
다진 마늘, 다진 파를 볶다가
가지와 소금을 넣고 앞뒤로
굽는다.

**3.** 다른 팬에 토마토를 다져
넣고 2~3분간 볶는다.

**4.** 3의 팬에 구운 가지와 홀토
마토를 넣고 볶다 뚜껑을 덮고
5분 정도 자작하게 조린다.
실파로 장식하면 식감이 높아
진다.

### 채소튀김 이야기

채소튀김은 취향에 따라 채소마다 각각 따로
튀기거나 여러 종류를 혼합해서 만듭니다. 손
님상을 차릴 때는 손이 많이 가기 때문에 혼합
해서 튀기면 요리 시간을 단축할 수 있어요.
튀김을 기름진 음식이라 생각해 멀리하는 경
향이 있는데 건강을 위해서는 질 좋은 식물성
기름을 적당량 섭취하는 것이 중요합니다. 식
물성 기름에 채소를 튀기면 영양 손실을 줄일
수 있는 것은 물론 날로 먹을 때보다 좋은 영
양소를 얻게 되므로 우리 몸에 좋은 조리법이
라고 할 수 있습니다.

**tip** 토마토는 조리법에 따라 다양한 영양소를 얻을 수
있는 식재료 중 하나입니다. 토마토를 식물성 기름과
함께 익혀서 먹으면 날로 먹을 때보다 리코펜
성분을 더욱 효과적으로 섭취할 수 있습니다.

# 데마키스시(테마키즈시 手巻き寿司)

데마키의 '데'는 손, '마키'는 '말다'라는 뜻으로 데마키스시는 말아서 먹는 초밥을 말합니다.
김에 초밥과 여러 가지 재료를 조금씩 올려 각자 손으로 말아서 먹는 음식입니다.
낫토, 회, 장어구이, 달걀, 오이, 새싹 채소, 연어알, 당근, 새우 등의 재료 중
좋아하는 것을 선택해 준비하면 되지요.
1인당 하나씩 간장과 고추냉이가 담긴 접시가 주어지므로 따로
간을 맞출 필요가 없어 간단히 만들 수 있는 음식이에요.
만들기는 간단하지만 차려 놓으면 화려하고 푸짐하기 때문에 누구나 좋아합니다.

데마키스시, 배추된장국, 카레연어구이, 무절임

초밥과 잘 어울리는 배추된장국을 준비하면 중간 중간 입맛을 정리할 수 있
어요. 새콤달콤한 무절임과 카레로 양념한 연어구이를 곁들이면 리듬감 있는
맛을 느낄 수 있답니다. 데마키스시는 각자 먹는 양을 가늠하기 어려우므로
큰 그릇에 초밥을 담아냅니다. 레몬을 띄운 물과 주걱을 준비하면 원하는 양
을 덜어 먹을 수 있어 편리해요.

● **무절임:** 무 1/2개(600g)를 얇게 슬라이스해 소금을 뿌려 숨이 죽도록 절인 다음 가볍게
   짜 물기를 제거한다. 식초 1/2컵, 가쓰오부시 국물(또는 다시마 국물) 1컵, 설탕 3큰술,
   레몬즙을 약간 섞은 물에 무를 담가 1시간 이상 절인다.

데마키스시

**4인분**

1.

2.

**재료**

밥 4공기, 생선회(전갱이) · 연어알 · 장어구이(시판) 100g씩,
달걀 2개, 당근 · 오이 1개씩, 무순 1팩, 김 20장,
간장 4큰술, 고추냉이 약간, 식용유 적당량,
단촛물(식초 3큰술, 소금 1작은술, 설탕 약간)

3.

**만드는 법**

1. 볼에 분량의 재료를 넣고 섞어 단촛물을 만든
   뒤 밥에 고루 섞는다.
2. 당근은 손가락 길이로 채썰어 기름을 두른 팬에
   소금을 넣고 살짝 볶는다.
3. 달걀은 풀어 소금을 넣고 기름을 두른 팬에
   사각으로 접어 부친다.
4. 오이는 손가락 길이로 얇게 채썰어 무순,
   당근, 달걀과 함께 그릇에 담는다.
5. 장어는 먹기 좋게 슬라이스한 다음 연어알,
   회와 함께 그릇에 가지런히 담는다.
6. 종지에 간장을 담고 고추냉이를 약간 곁들인다.
   그릇에 밥을 담고 덜어 먹을 수 있도록 주걱을
   함께 준비해 나머지 재료와 함께 차린다.

4.

**tip** 회, 장어구이, 연어알은 차게 준비하면 더욱 맛있어요.
달걀, 오이, 무순, 당근도 시원하게 보관해 두었다
차려 내면 좋아요.

5.

6.

142

## +recipe

### 배추된장국
#### (학사이미소시르 白菜味噌汁)

**재료** | 배추 150g, 다시마 국물 5컵, 파 1뿌리, 된장 3큰술

만드는 법

**1.** 다시마 국물에 먹기 좋게 채썬 배추를 넣고 끓이다 된장을 푼다.

**2.** 배추가 익으면 송송 썬 파를 넣고 한소끔 더 끓인다.

### 카레연어구이
#### (야키자케노카레후미 焼き鮭のカレー風味)

**재료** | 연어 4토막(400g), 밀가루 2큰술, 카레가루 1큰술, 소금 약간, 식용유 · 레몬 적당량씩

만드는 법

**1.** 연어는 먹기 좋게 썰어 소금에 살짝 절인 다음 밀가루와 카레가루를 섞어 옷을 입힌다.

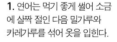

**2.** 팬에 기름을 두르고 연어를 넣어 앞뒤로 노릇하게 구운 뒤 접시에 구운 연어를 담고 레몬이나 라임을 곁들인다.

# 03

## 지라시스시 (지라시즈시 ちらし寿司)

지라시는 '흩뿌리다'라는 뜻으로 지라시스시는 흩뿌린 초밥을 말합니다.
이 요리는 사시사철 언제 먹어도 좋지만 주로 봄에 많이 먹습니다.
식탁을 화려하게 장식해 손님상에 내는 음식으로 잘 알려져 있기도 합니다.
초밥에 연근, 달걀지단, 장어구이, 어린 꼬투리 완두 같은 녹색 채소를 넣는 것이
특징이지요. 일본에서는 '나노하나'라는 유채꽃을 먹는 습관이 있는데,
봄에는 나노하나를 곁들여 먹기도 합니다. 지라시스시에 들어가는 재료는
딱히 정해져 있지 않으므로 손쉽게 구할 수 있는 채소를 모아 만들면 간편합니다.

지라시스시, 연어된장국, 파겨자무침, 두부가지구이, 콩비지볶음

연어로 된장국을 끓이면 채소로 만든 초밥과 맛이 잘 어우러집니다. 여기에
담백한 볶음 요리와 새콤매콤한 무침을 더하면 궁합이 잘 맞는 상차림이 됩니
다. 지라시스시는 큰 밥통에 푸짐하게 만든 다음 먹기 전에 1인분씩 담으세요.
라임과 허브를 넣은 물을 함께 내면 입안을 개운하게 해 줄 수 있고 정성을 들
인 느낌을 줄 수 있어요.

● **파겨자무침:** 파 100g을 살짝 데친 다음 된장 1작은술, 겨자 1/2작은술을 넣고 버무린다.

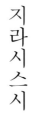
지라시스시

**4인분**

......................................................

### 재료

밥 4공기, 달걀 2개, 당근 1개, 표고버섯 · 연근 100g씩,
아스파라거스 2대, 다시마 국물 2컵, 김 약간, 식용유 적당량,
조림양념(간장 5큰술, 미림 1큰술, 청주 1/2큰술),
단촛물(식초 5큰술, 소금 · 설탕 약간씩)

......................................................

### 만드는 법

1. 달걀은 풀어 체에 거른 뒤 지단을 부친 다음
   식으면 얇고 가늘게 채썬다.
2. 표고버섯은 채썰어 다시마 국물, 간장, 미림,
   청주를 넣어 조린다.
3. 당근, 연근, 아스파라거스는 채썬 다음 끓는
   물에 소금을 넣고 데친다.
4. 밥에 분량의 재료를 섞어 만든 단촛물을 섞어
   초밥을 만든다.
5. 초밥에 데친 채소와 조린 표고버섯을 섞은 뒤
   김을 손으로 잘라 넣는다.
6. 마지막으로 달걀지단을 밥 위에 흩뿌린다.

**tip** 달걀지단은 팬에 기름을 아주 적은 양만 고르게
두르고 부쳐야 얇고 매끈하게 부칠 수 있어요.
뒤집을 때 젓가락을 이용하면 찢어지지 않아요.

# +recipe

## 연어된장국
### (사케미소시르 鮭味噌汁)

**재료** | 연어 200g, 파 1/2뿌리, 표고버섯 다시마 국물 5컵, 된장 3큰술

**만드는법**

**1.** 연어는 손질한 뒤 먹기 좋게 썬다. 냄비에 표고버섯 다시마 국물, 연어, 파를 넣고 끓인다.

**2.** 연어가 익어 가면 된장을 풀고 한소끔 더 끓인다.

## 두부가지구이
### (나츠야사이토아게다시도후 夏野菜と揚げだし豆腐)

**재료** | 두부 1모, 가지 1개, 피망 5개, 간 무 3큰술, 쯔유 4큰술, 밀가루 약간, 식용유 적당량

**만드는법**

**1.** 피망은 먹기 좋게 썰어 밀가루를 입힌 뒤 기름을 두른 팬에 굽는다. 두부와 가지도 먹기 좋게 썰어 밀가루를 입힌 뒤 팬에 기름을 두르고 굽는다.

**2.** 재료가 익으면 쯔유를 넣고 뒤섞은 뒤 접시에 담고 갈아 놓은 무를 올린다. 기호에 따라 고춧가루를 넣어도 된다.

## 콩비지볶음
### (오카라노타이탄 おからの炊いたん)

**재료** | 콩비지 200g, 삶은 풋콩 80g, 다진 마른 새우 6~8g, 다시마 국물 2컵, 간장 2큰술, 소금 약간, 식용유 적당량

**만드는법**

**1.** 냄비에 콩비지와 다진 마른 새우를 넣고 볶는다.

**2. 1**에 풋콩, 다시마 국물, 간장을 넣고 볶다 소금으로 간한다. 이때 농도를 약간 질게 하는 것이 좋다.

part
03-1

# 04

## 도미밥(타이메시鯛飯)

도미는 일본에서 축하할 일이 있을 때 먹는 생선입니다.
시험에 합격했다거나 좋은 일이 생겼을 때 도미를 먹지요. 일본에는 정월에
'새해를 축하드립니다'라는 뜻의 "아케마시데 오메데토 明けまして おめでとうございます"
라고 말하고 도미구이를 먹는 풍습이 있습니다.
도미밥은 이렇듯 기쁜 일이 있는 날 손님상 메뉴로 준비하면 좋습니다.

도미밥, 고마츠나된장국, 양하샐러드, 두부구이, 감자조림

생선이 들어간 밥이 메인 요리이므로 반찬과 국은 담백한 것으로 준비합니
다. 냄비에 푸짐하게 지은 밥을 상 가운데 두고 각자 덜어 먹을 수 있게 차리
는 것이 좋아요. 두부, 감자 등은 일본 가정에서 자주 먹는 식재료로 솥밥과
잘 어울리는 반찬입니다. 양하를 구하기 힘들 때는 슬라이스한 양파로 대체
해도 됩니다.

- **두부구이:** 두부를 먹기 좋은 크기로 썰어 물기를 뺀 다음 팬에 기름을 두르고 굽는다. 된
  장과 가쓰오부시 국물을 같은 비율로 섞고 빻은 깨와 다진 파를 조금씩 넣어 소스를 만든
  다음 두부 위에 올린다.
- **양하샐러드:** 양하를 잘게 채썰어 가쓰오부시, 파슬리(또는 쑥갓)을 올린 다음 간장을 약간
  뿌린다.

1.

# 도
# 미
# 밥

**3인분**

.................................................

## 재료

쌀 3컵, 도미 1마리, 당근 1/2개, 표고버섯 80g, 다시마
10×10cm 1장, 양념 국물(간장 · 청주 4큰술씩, 물 2컵)

.................................................

## 만드는 법

1. 도미는 비늘을 벗기고 내장을 제거한 뒤 깨끗이
   씻는다.
2. 쌀을 씻어 냄비에 담고 다시마를 올린 뒤 손질한
   도미를 넣는다.
3. 당근과 표고버섯을 잘게 썰어 **2**에 얹고 양념
   국물을 붓는다.
4. 뚜껑을 덮고 약불에서 3분, 강불에서 10분, 중
   불에서 5분, 다시 약불에서 5분간 끓인 다음 불
   을 끄고 10분 정도 뜸을 들인다.
5. 도미와 다시마를 꺼내 도미는 살을 발라내고
   다시마는 작게 썰어 다시 밥에 넣는다.
6. 먹기 직전에 밥을 고루 섞어 1인분씩 그릇에
   담는다.

**tip** 도미의 뼈는 따로 보관했다가 국을 끓일 때 육수를
우리면 좋습니다. 다시마 국물에 도미 뼈를 넣고 끓인
다음 마지막에 건져내면 됩니다.

2.

3.

4.

5.

6.

# +recipe

## 고마츠나된장국
### (고마츠나미소시르 小松菜味噌汁)

● 고마츠나는 일본에서 즐겨 먹는 채소입니다. 고마 츠나 대신 시금치를 사용해도 좋습니다.

**재료** | 다시마 국물 4컵, 백만송이버섯 150g, 고마츠나 100g, 된장 3큰술, 도미 뼈(도미밥을 짓고 남은 것) 1개, 파 약간

만드는 법

**1.** 냄비에 다시마 국물을 붓고 도미 뼈를 넣어 끓인다.

**2.** 국물이 끓어오르면 백만송 이버섯과 어슷썬 파를 넣고 끓 이다 된장을 푼다. 한소끔 끓 으면 도미 뼈를 건져낸다.

**3. 2**에 고마츠나를 먹기 좋게 썰어 넣고 1분 정도 끓인 뒤 불을 끈다.

## 감자조림
### (자가이모노니모노 じゃがいもの煮物)

**재료** | 감자 3~4개, 표고버섯 100g, 식용유 1큰술, 양념장 (다시마 국물 1컵, 간장 5큰술, 미림 · 설탕 2큰술씩, 청주 1큰술)

만드는 법

**1.** 감자는 먹기 좋게 썰어 냄비에 기름을 두르고 살짝 볶는다.

**2.** 감자가 투명해지면 표고버섯을 넣고 분량의 재료를 섞은 소스를 붓는다.

**3.** 국물이 졸아들고 윤기가 날 때까지 조린다.

## 05

버섯전골(기노코나베きのこ鍋)

일본의 버섯전골은 가정마다 만드는 방식이 천차만별입니다.
하지만 다른 부재료는커녕 파나 갖은 양념도 넣지 않고
기본인 다시마 국물과 버섯, 간장, 청주만 넣어 끓여도 이상하게 맛있어요.
버섯전골로 손님상을 차릴 때는 현미밥, 나물, 채소 구이 같은 채식 메뉴로 함께 구성하면
깔끔하고 담백한 맛을 배가시킬 수 있습니다.
고기 대신 버섯을 넣어도 푸짐한 채식 밥상이 됩니다.

## 버섯전골, 현미밥, 쑥갓나물, 무와 된장 소스, 채소구이

버섯전골에 곁들이는 반찬은 버섯의 향이나 식감과 조화를 이룰 수 있는 은
은한 맛의 식재료를 준비하는 게 좋아요. 냉장고에 늘 있는 채소를 이용해 반
찬을 만들되 조리법을 조금 달리해서 정성스럽게 준비하면 됩니다.

- **현미밥:** 현미를 씻어 1시간 이상 충분히 불린 뒤 밥을 짓는다.
- **채소구이:** 파프리카, 파, 당근, 연근을 먹기 좋게 썰어 올리브유를 바르고 석쇠에 굽는다.

# 버섯전골

**2인분**

........................................................

### 재료
버섯(새송이버섯, 팽이버섯, 표고버섯) 300g,
후춧가루 약간, 양념 국물(다시마 10×10cm 1장,
물 3컵, 간장·청주 2큰술씩, 소금 약간)

........................................................

### 만드는 법

1. 버섯은 여러 종류를 준비해 먹기 좋게 뜯는다.
2. 냄비에 양념 국물 재료와 버섯을 넣고 끓인다.
3. 버섯의 숨이 죽고 익을 때까지 10분 정도 뚜껑을
   열지 말고 끓인다.
4. 버섯의 숨이 죽으면 후춧가루를 뿌려 낸다.

 버섯은 수용성이라 물에 담가 두면 영양이 손실됩니다.
때문에 씻지 않고 바로 조리하는 게 좋은데,
씻을 때는 흐르는 물에 재빨리 헹구기만 하세요.

# +recipe

## 쑥갓나물
### (순기크노고마아에 春菊の胡麻和え)

**재료** | 쑥갓 1/2단, 양념장(호두 4알, 깨 3큰술, 된장 · 간장 · 식초 · 설탕 · 올리브유 1작은술씩)

만드는법

**1.** 깨와 호두를 곱게 간 뒤 나머지 재료를 넣고 섞어 양념장을 만든다.

**2.** 쑥갓을 씻어 물기를 뺀 뒤 **1**의 양념장을 넣고 버무린다.

## 무와 된장 소스
### (후로후키다이콩 ふろふき大根)

**재료** | 무 2토막, 다시마 10×10cm 1장, 된장 소스(설탕 · 빻은 깨 · 미림 · 청주 1큰술씩, 된장 2작은술)

만드는법

**1.** 무는 껍질을 벗기고 5cm 두께로 슬라이스한다.

**2.** 냄비에 물을 붓고 다시마와 무를 넣어 10~15분 정도 끓여 속까지 푹 익힌다.

**3.** 분량의 재료를 섞은 된장 소스를 익은 무에 올려 낸다.

# 06

## 스키야키(スキヤキすき焼)

스키야키는 일본에서 손님상에 올리는 대표적인 특별식입니다.
시어머니께서 제게 처음 차려 주신 것도 바로 스키야키였어요.
만드는 방법은 간단하지만 따끈하게 끓여 가며 오순도순 먹을 수 있어
손님상에 올리기 좋습니다. 큰 냄비를 가운데 두고 나눠 먹는 음식이라
모락모락 피어나는 하얀 김과 맛있는 냄새가 솔솔 퍼져 분위기도 부드럽게 만들어 줍니다.

### 스키야키, 밥, 감자샐러드, 배추절임

스키야키에 다양한 재료가 들어가므로 별다른 반찬을 준비하지 않아도 됩니다. 메인 요리를 더욱 맛있게 먹을 수 있도록 채소절임과 샐러드 정도만 준비하면 충분하지요. 스키야키로 텁텁해진 입맛을 개운하게 해 줄 새콤한 반찬을 곁들여도 좋습니다.

- **밥:** 쌀 4컵을 씻어 1시간 정도 불린 다음 뚝배기에 밥을 짓는다. 뚝배기째 상에 내서 덜어 먹을 수 있게 차려도 좋다.

1.

# 스키야키

**4인분**

2.

........................................................

### 재료

쇠고기(등심) 600~700g, 표고버섯 · 쑥갓 100g씩,
실곤약 1봉지, 두부 1모, 팽이버섯 1팩, 파(흰 부분) 1/2뿌리,
후춧가루 약간, 후 · 식용유 적당량씩, 달걀 4개,
스키야키소스(간장 · 다시마 국물 1/2컵씩, 미림 · 청주 1/2컵씩)

........................................................

### 만드는 법

1. 냄비에 간장, 미림, 청주, 다시마 국물을 붓고 한 번 끓어오르면 불을 끈다.
2. 파는 어슷썰고 표고버섯은 슬라이스한다. 고기도 그릇에 담아둔다.
3. 쑥갓은 씻어 적당한 크기로 자르고, 두부는 한입 크기로 썬다.
4. 냄비에 기름을 살짝 두르고 고기를 얇게 펴서 굽는다.
5. 1의 소스를 4의 고기에 약간만 넣는다.
6. 고기를 한쪽으로 밀고 파, 쑥갓, 두부, 실곤약, 팽이버섯, 후를 넣은 뒤 나머지 소스를 고루 붓고 계속 끓이면서 재료가 익으면 건져 날달걀을 풀어 찍어 먹는다.

3.

4.

5.

**tip** 스키야키에는 '후麩'라는 일본 전통 식재료를 넣는 경우가 많아요. 밀가루에 소금을 넣고 만들어 국물을 흡수하면 맛이 생기고 부드러워집니다. 국에 넣는 경우도 많은데, 일본 식재료 전문점에서 구입할 수 있지만 없을 때는 넣지 않아도 무방합니다.

6.

# +recipe

## 감자샐러드
### (포테토사라다 *ポテトサラダ*)

**재료** | 감자 4개, 호두 4알, 오이 1개, 당근 · 양파 1/2개씩, 올리브유 4큰술, 소금 · 후춧가루 약간씩

만드는 법

**1.** 감자는 껍질을 벗기고 먹기 좋게 썰어 삶은 뒤 뜨거울 때 으깬다.

**2.** 당근, 양파, 오이는 얇게 슬라이스한다.

**3.** 볼에 준비한 채소와 다진 호두, 으깬 감자, 올리브유, 소금, 후춧가루를 넣고 섞는다.

## 배추절임
### (학사이노곤부즈케 *白菜の昆布漬け*)

**재료** | 배추 150g, 다시마 국물 4~5컵, 다시마 10×10cm 1장, 홍고추 1개, 절임장(간장 · 식초 2큰술씩, 소금 1작은술)

만드는 법

**1.** 배추는 1cm 폭으로 썰고, 홍고추는 송송 썰고, 다시마는 가늘게 채썬다.

**2.** 볼에 절임장 재료를 섞고 배추와 홍고추를 넣어 배추의 숨이 죽을 때까지 절인다.

# 07

## 두부스테이크(도후스테키豆腐ステーキ)

일본에서 두부는 거의 매일 먹는 식재료 중 하나입니다.

손님상 메뉴도 모든 사람이 즐겨 먹는 식재료를 이용하면 실패할 확률이 낮아집니다.

일본에서는 손님의 기호를 잘 모를 때 두부처럼 평범한 식재료를 이용하는 경우가 많아요.

대신 평범하게 조리하지 않고 특별식 느낌이 나는 요리로 준비합니다.

두부스테이크도 이런 경우인데, 재료는 부담 없지만 맛은 특별해 누구나 좋아합니다.

두부스테이크, 현미밥, 채소국, 피망샐러드, 가지초절임
락교와 차조기절임

채소로만 차리는 상이지만 다양한 재료를 넣고 조리법을 달리해 허전하지 않게 준비합니다. 맑은 국물의 가벼운 채소국과 절임 반찬은 맛이 개운해 스테이크의 느끼한 맛을 덜어 줍니다. 샐러드와 락교를 곁들이면 입안을 환기시킬 수 있어 좋습니다.

- **현미밥:** 현미 2컵에 찹쌀조 4큰술을 섞어 1시간 정도 불린 뒤 밥을 지어 그릇에 담고 검은 깨를 살짝 뿌린다.
- **가지초절임:** 가지를 길게 슬라이스해 살짝 데친 다음 다시마 국물 1/2컵, 간장과 양파 간 것 2큰술씩을 넣고 반나절 정도 냉장고에 넣어 둔다.
- **락교와 차조기절임:** 붉은 차조기 잎 20g을 물로 씻어 소금 1/2큰술을 넣고 손으로 주물러 숨을 죽인 뒤 물기를 꼭 짠다. 락교는 씻어서 끓는 물에 30초 정도 데친 뒤 물기를 제거하고 병에 담아 고추 2개를 넣고 절임장(락교 300g 기준-식초 2컵, 물 1컵, 설탕 50g, 소금 1큰술을 설탕이 녹을 때까지 데운다)을 부어 실온에 1주일간 둔다.

1.

2.

3.

4.

# 두부스테이크

**2인분**

### 재료

두부 1모, 백만송이버섯 100g, 밀가루 적당량,
양념장(생강 슬라이스 2조각, 간장 2큰술, 미림 1큰술,
청주 · 조청 1/2큰술씩, 물 1/4컵, 채썬 파 약간)

### 만드는 법

1. 두부는 도톰하게 슬라이스해 물기를 뺀 다음 밀가루로 얇게 옷을 입힌다. 기름을 두른 팬에 두부를 올려 앞뒤로 노릇하게 굽는다.

2. 두부를 꺼내고 같은 팬에 양념장 재료를 넣어 바글바글 끓인다.

3. 양념장이 끓어오르면 백만송이버섯을 넣고 버섯이 익을 때까지 조린다.

4. 그릇에 구운 두부를 담고 **4** 의 버섯 소스를 올려 낸다.

**tip** 조청 대신 물엿이나 설탕을 넣고, 백만송이버섯 대신 느타리버섯이나 새송이버섯을 사용하는 등 기호에 따라 재료를 달리해도 좋습니다.

# +recipe

## 채소국
### (야사이수프 野菜スープ)

**재료** | 단호박 · 당근 · 양파 100g씩, 물 3컵, 소금 · 후춧가루 약간씩, 올리브유 적당량

만드는 법

**1.** 단호박, 당근, 양파는 얇게 나박썰어 팬에 올리브유를 두르고 볶는다.

**2.** 채소가 익어 가면 물을 붓고 소금, 후춧가루로 간해 푹 끓인다.

## 피망샐러드
### (피망사라다 ピーマンサラダ)

**재료** | 청피망 3개, 홍피망 1/2개, 드레싱(올리브유 3큰술, 식초 1큰술, 소금 · 후춧가루 약간씩)

만드는 법

**1.** 피망은 모두 가늘고 얇게 채썬다.

**2.** 분량의 재료를 섞어 만든 드레싱을 피망에 부어 살짝 버무린다.

part
03-1

**08**

# 냄비 요리(나베鍋料理)

'나베'는 냄비라는 의미로 주로 겨울철에 많이 먹어요. 식탁 가운데 냄비를 올리고 여러 가지 재료를 조금씩 넣어 가면서 익혀 따끈하게 먹는 요리입니다.

여기에는 어떤 재료를 넣어도 요리가 되기 때문에 최근에는 김치, 토마토, 카레를 넣은 냄비 요리도 가정에서 먹곤 합니다.

대표적인 재료는 게, 대구, 굴, 고기완자, 두부, 배추, 쑥갓, 파, 시금치, 버섯 등이며 폰스와 깨, 된장 소스 등을 곁들여 먹어요. 일본에서는 나베 요리에 먹는 소스를 '다래たれ'라고 하여 일반 소스와 구분을 지어서 말합니다.

소스는 걸쭉한 느낌이 나는 돈가스 소스, 굴 소스, 우스터 소스 등을 말하고, 다래는 폰스처럼 액체 상태의 묽은 양념장을 말하지요.

나베, 닭꼬치, 무다시마절임

생선을 비릿하지 않게 먹을 수 있도록 무초절임을 곁들였어요. 메인인 국물 요리와 잘 어울리도록 수분을 날린 닭꼬치구이를 준비해 식감을 높였습니다. 냄비 요리는 여럿이 모여 앉아 덜어 먹을 수 있도록 식탁에 냄비를 올리고 개인 접시와 국자를 준비하는 것이 좋습니다. 여러 가지 소스를 만들어 건더기를 찍어 먹도록 준비하면 다양한 맛을 즐길 수 있답니다.

1.

2.

3.

4.

5.

6.

# 나베

**2인분**

................................................

### 재료

밥(또는 국수 200g) 2공기, 대구 · 연어 2토막씩,
쑥갓 · 버섯(표고버섯 · 팽이버섯) 100g씩, 파 1뿌리, 두부 1모,
참나물 1/2단, 다시마 10×10cm 1장, 다시마 국물 4컵,
청주 4큰술, 송송 썬 실파 · 간 생강 1작은술씩,
소금 · 후춧가루 약간씩, 폰스 소스(간장 4큰술, 레몬즙 2큰술),
된장 소스(된장 1큰술, 식초 1/2큰술, 다시마 국물 1/3컵)

................................................

### 만드는 법

1. 파는 어슷썰고 쑥갓과 참나물은 깨끗이 씻어
   먹기 좋은 크기로 썬다. 버섯은 가늘게 찢고,
   두부는 한입 크기로 네모지게 썬다.

2. 대구와 연어는 먹기 좋은 크기로 자른 뒤 소금,
   후춧가루로 밑간한다.

3. 간장에 레몬즙을 섞어 폰스 소스를 만든다.

4. 된장, 식초, 다시마 국물을 섞어 된장 소스를
   만든다.

5. 냄비에 다시마 국물, 다시마, 청주를 넣고 끓이
   다 준비한 채소와 생선을 넣고 끓인다.

6. 송송 썬 실파와 간 생강을 그릇에 담아 폰스나
   된장 소스와 섞어 먹을 수 있게 준비한다. 재료
   가 익으면 건더기를 먼저 건져 먹은 뒤 국물에
   밥이나 국수를 넣고 끓여 먹는다.

**tip** 나베 자체에는 간을 아주 약하게 하고 소스의 간을
진하게 해 나베 국물로 소스를 희석해 가며 먹을 수
있게 준비합니다. 먹다 보면 소스가 싱거워지므로
소스를 넉넉하게 만들어 조금씩 첨가하면서 각자 간을
조절해서 먹는 것이 좋아요.

# +recipe

## 닭꼬치
### (야키토리 焼き鳥)

**재료** | 닭고기(가슴살) 200g, 파 2뿌리, 올리브유 2큰술, 소금 · 후춧가루 약간씩, 식용유 적당량

**만드는 법**

**1.** 닭고기는 한입 크기로 썰어 소금, 후춧가루, 올리브유를 넣고 30분간 잰다.

**2.** 파는 닭고기 길이로 썬 다음 닭고기와 함께 꼬치에 꿴다.

**3.** 팬에 기름을 두르고 닭꼬치를 앞뒤로 노릇하게 굽는다.

## 무다시마절임
### (다이콩토곤부노아마즈즈케 大根と昆布の甘酢漬け)

**재료** | 무 400g, 다시마 10×10cm 1장, 단촛물(다시마 국물 1/2컵, 식초 1/3컵, 설탕 2큰술, 소금 1/2작은술)

**만드는 법**

**1.** 무와 다시마는 가늘게 채썰어 물기를 뺀다.

**2.** 분량의 재료를 섞은 단촛물을 끓여 식힌 뒤 **1**의 무와 다시마에 붓고 숨이 죽을 때까지 2~3시간 정도 절인다.

# 09

## 샤브샤브 (샤브샤브しゃぶしゃぶ)

샤브샤브는 얇게 썬 고기와 채소를 끓는 물에 살짝 데친 뒤 양념장에 찍어 먹는 요리로
1952년 오사카의 한 음식점에서 처음 선보였다고 합니다.
고기, 채소, 버섯 등 다양한 재료를 이용하지만 무와 같은 뿌리채소는
넣지 않는 것이 특징이에요.
손님이나 가족, 친척이 모두 모였을 때 만드는 특별식으로
특히 날씨가 쌀쌀한 늦가을이나 겨울철에 주로 먹습니다.
전통 방식은 샤브샤브 전용 쇠솥을 사용하지만 냄비를 사용해도 무관합니다.
샤브샤브도 다른 냄비 요리처럼 폰스나 깨 소스 같은 다레와 함께 먹어요.

### 샤브샤브, 양파샐러드

샤브샤브는 고기와 채소가 고루 들어가기 때문에 샐러드를 곁들이면 좋습니다. 개운하게 먹고 싶으면 깻잎처럼 향이 강한 채소로 샐러드를 만들면 됩니다. 또 우동면을 준비해 고기와 채소를 건져 먹고 난 뒤 끓여 먹으면 정말 맛있어요. 밥을 먹고 싶을 때는 달걀과 파를 준비해 자작한 국물에 넣고 죽처럼 끓이면 됩니다.

1.

# 샤브샤브

**2인분**

2.

3.

....................................................

### 재료

쇠고기(샤브샤브용) 400g, 우동면(또는 밥 2공기) · 배추 200g
씩, 표고버섯 100g, 달걀 2개, 팽이버섯 1봉지,
다시마 10×10cm 1장, 물 3컵, 폰스 소스(간장 1컵, 레몬 1개,
다진 실파 · 간 생강 1작은술씩), 깨 소스(호두 4알,
깨 4큰술, 간장 2작은술, 꿀 1작은술, 다시마 국물 1컵)

....................................................

### 만드는 법

1. 채소와 버섯은 깨끗이 씻은 뒤 먹기 좋은 크기로 썬다. 우동은 삶아서 물기를 뺀다.
2. 간장에 레몬즙을 섞은 다음 다진 실파와 생강을 섞어 폰스 소스를 만든다.
3. 호두와 깨를 곱게 간 뒤 나머지 재료를 섞어 깨 소스를 만든다.
4. 냄비에 물을 넉넉히 붓고 다시마를 넣어 끓이다 준비한 채소 중 일부를 넣는다.
5. 국물이 끓으면 고기를 넣고 흔들어 살짝 데친 뒤 준비한 소스에 찍어 먹는다.
6. 고기와 채소를 먹고 나면 우동면이나 밥을 넣고 끓여 먹는다.

**tip** 다시마를 넣고 끓이다 바로 고기부터 넣지 말고
채소와 버섯을 먼저 조금 넣고 끓인 뒤 고기를
넣으세요. 채소를 먼저 넣으면 국물 맛도 좋아지지만,
나중에 차가운 고기를 넣었을 때 국물의 온도가
내려가는 것을 막아 맛있게 먹을 수 있어요.

5.

6.

## 양파샐러드
### (오니온사라다 オニオンサラダ)

**재료** | 양파 1개, 가쓰오부시 3g, 간장 약간

**만드는법**

**1.** 양파는 얇게 채썬 다음 물에 담갔다가 물기를 꼭 짠다.

**2.** 그릇에 물기를 뺀 양파를 담고 가쓰오부시를 얹는다.

**3.** 가쓰오부시 위에 간장을 살짝 뿌린다.

### 샤브샤브 이야기

문호를 개방하기 전 일본에서는 육식을 하지 않았기 때문에 일본의 전통 요리에는 샤브샤브는 물론 고기 요리가 없답니다. 재미있는 것은 지금까지도 한국에서처럼 쇠고기를 푹 고아서 국물을 먹는 습관은 없다는 거예요. 스테이크 같은 서양음식이 일본에 들어오면서 쇠고기는 구워서 먹는 것으로만 인식되어 샤브샤브보다는 스키야키를 10년 정도 먼저인 1643년경에 처음으로 먹기 시작했다고 합니다. 스키야키보다는 담백한 샤브샤브가 더 일본적인 음식이라 생각했던지라 좀 의외였습니다. 샤브샤브는 요리 시간이 많이 걸리거나 요리 실력이 요구되지 않고 싱싱한 재료만 있으면 되는 음식이라 가벼운 마음으로 손님상을 준비할 수 있는 좋은 메뉴이지요.

**tip** 양파를 썰어 물에 담근 다음 냉장고에 차게 보관해 두었다가 먹기 직전에 가쓰오부시와 간장을 뿌리면 양파샐러드를 더욱 아삭하게 즐길 수 있습니다. 양파의 향도 더욱 살아나 샤브샤브와도 잘 어울어집니다.

# 10

## 모둠 구이(데판야키鉄板焼き)

모둠 구이는 온 가족이 모여 식사할 때 주로 먹는 음식입니다.
서양의 바비큐 같은 구이 요리로, 식재료가 풍성한 여름과 가을에 자주 먹습니다.
철판구이는 싱싱한 식재료와 소스만 준비하면 완성되는 간단한 상차림에 속합니다.
따끈한 구이를 즉석에서 즐길 수 있어 누구나 좋아하기 때문에
근사한 저녁 식사용 손님상 메뉴로도 적당하지요.
손이 많이 가지 않고 간을 맞추거나 예쁘게 담아야 한다는 부담도 덜 수 있는
실속 메뉴입니다.

모둠 구이, 주먹밥, 무된장국, 부추나물

모둠 구이를 할 때는 간단하게 밥과 국, 그리고 나물 1가지만 준비하면 됩니
다. 손님상에 낼 때는 간단하게 집어 먹을 수 있는 주먹밥을 만들면 먹기도
편하고 보기에도 예뻐서 접대하기 좋아요. 된장국과 부추나물을 곁들이면 기
름진 구이를 느끼하지 않게 먹을 수 있답니다.

1.

## 모둠 구이

**4인분**

2.

3.

4.

5.

6.

### 재료

연어 5토막, 꽁치 · 오징어 2마리씩, 가지 3개,
고구마 · 애호박 · 토마토 2개씩, 양파 · 레몬 1개씩, 파 1뿌리,
단호박 1/4개, 표고버섯 100g, 올리브유 1큰술,
소금 · 후춧가루 약간씩, 폰스 소스(깨 · 소금 · 레몬즙 1큰술씩,
간장 1/2컵, 간 생강 1작은술),
양념소금(소금 4큰술, 빻은 깨 3큰술)

### 만드는 법

1. 볼에 분량의 재료를 넣고 섞어 폰스 소스를 만든다. 깨와 소금을 섞어 양념소금을 만든다.

2. 연어는 소금, 후춧가루, 올리브유, 슬라이스한 레몬을 넣고 냉장고에 1시간 이상 잰다.

3. 꽁치는 내장을 빼고 씻어 반으로 가른 뒤 소금을 살짝 뿌리고, 오징어는 내장을 빼고 씻어 슬라이스한다.

4. 양파는 1.5cm 폭으로 썰어 꼬치로 고정한다. 애호박과 가지는 5cm 길이로 슬라이스하고 파는 3cm 길이로 썬다. 큰 표고버섯은 반으로 가른다.

5. 단호박과 고구마는 얇게 슬라이스해서 찐다. 토마토는 슬라이스해서 접시에 담는다.

6. 구이 판에 준비한 재료를 모두 올려 노릇하게 굽는다. 폰스 소스와 양념소금을 곁들여 낸다. 슬라이스한 레몬을 곁들여도 좋다.

**tip** 생선은 소금을 살짝만 뿌려 밑간해야 구웠을 때 짜지 않아요. 채소도 구운 뒤 취향에 맞게 간을 조절해서 먹는 게 편리합니다.

# +recipe

## 주먹밥 (오니기리おにぎり)

**재료** | 밥 4공기, 우메보시 2개, 검은깨 2큰술

만드는법

**1.** 밥을 2공기씩 볼에 나눠 담고 검은깨와 다진 우메보시를 각각 얹는다.

**2.** 밥을 고루 뒤섞어 한입 크기로 길고 둥글게 뭉친다.

## 무된장국
### (다이콩노미소시르大根の味噌汁)

**재료** | 표고버섯 다시마 국물 5컵, 파 1뿌리, 무 400g, 된장 3큰술

만드는법

**1.** 냄비에 표고버섯 다시마 국물을 붓고 무를 얇게 썰어 넣고 끓인 다음 국물이 끓어오르면 된장을 푼다.

**2.** 마지막에 파를 3cm 길이로 썰어 넣고 한소끔 더 끓인다.

## 부추나물
### (니라노고마아에にらの胡麻和え)

**재료** | 부추 200g, 양념(빻은 검은깨 1큰술, 식초 · 간장 · 올리브유 1작은술씩, 된장 1/2작은술)

만드는법

**1.** 부추는 5cm 길이로 썰어 끓는 물에 살짝 데친 뒤 물기를 뺀다.

**2.** 분량의 재료를 섞어 양념을 만든 다음 부추에 넣고 무친다.

# 둘.
# 도시락 お弁当

일본에서는 도시락을 오벤토 お弁当 라고 하는데, 편의점에서 저렴하게 구입할 수 있는 몇천 원짜리부터 전통 있는 유명 요릿집의 몇백만 원짜리 특별 도시락까지 종류가 다양합니다. 일본인들은 식사 예절을 중요시해 기차, 전철, 길거리 같은 공공장소에서는 음식을 먹지 않습니다. 예의에 어긋나는 행동이라고 생각하기 때문이지요. 하지만 신간센 기차만큼은 예외입니다. 신간센 기차 안에서 도시락 먹는 것을 큰 재미로 생각해 많은 사람이 기차 안에서 도시락을 먹습니다. 어떤 음식점에서는 신간센 기차 안까지 시간을 맞추어 배달해 주기도 합니다. 일본인들은 도시락을 가족 간의 사랑을 표현하는 하나의 수단으로 생각하기 때문에 집에서 만드는 도시락에 특별한 애착을 갖고 있습니다.

최근에는 '마이바시'라는 신조어가 유행하면서 도시락 열풍이 불고 있습니다. 'My, 나'와 '바시箸, 젓가락'이 결합된 말로 일회용이 아닌 개인 젓가락을 사용하자는 에코 운동의 일환입니다. 음식점에서도 본인의 젓가락을 맡겨 두었다가 다시 사용하거나, 휴대하기 편한 개인 젓가락인 마이바시와 도시락을 가지고 다니는 사람이 많습니다. 특히 사 먹던 도시락에서 직접 준비하는 도시락으로 바뀌고 있으며, 특별한 날 준비했던 도시락이 일상화되면서 다양한 도시락 레시피도 유행하고 있습니다.

● 도시락의 재료와 분량은 모두 1인분 기준입니다.

# 01

## 우엉쇠고기조림
### (규니크토고보노니모노 牛肉とごぼうの煮物)

우엉쇠고기조림은 불고기와 비슷한 음식입니다. 팬에 후다닥 볶으면 돼 만들기 쉽지만, 많은 일본인이 '집 밥' 하면 이 요리를 먼저 떠올린다고 합니다. 간단한 요리인데도 집집마다 그 맛이 조금씩 다른데, 이런 것이 가정 요리의 매력이 아닌가 합니다. 우엉쇠고기조림은 밥 위에 얹어 먹어야 맛있는데, 이때 새콤한 무초절임을 곁들이면 소화도 잘돼 균형 있는 도시락이 됩니다.

## 우엉쇠고기조림, 밥, 무초절임

- **밥:** 현미를 씻어 1시간 정도 불린 뒤 밥을 짓는다.
- **무초절임:** 무 100g을 얇게 슬라이스해 소금 1/2작은술을 뿌리고 절여 물기를 꼭 짠 다음 식초 2작은술, 설탕 1작은술을 넣고 무거운 것으로 20~30분간 눌러 둔다.

1.

2.

3.

4.

## 우엉쇠고기조림

### 재료
쇠고기(불고기용) 100g, 우엉 80g,
식용유 적당량, 우엉절임물(식초 또는 쌀뜨물 1큰술, 물 2컵),
양념장(간장 · 청주 1큰술씩, 미림 1/2큰술, 설탕 2작은술)

### 만드는 법

1. 우엉은 식초나 쌀뜨물에 담가 놓고 필러로 얇게 깎는다.
2. 우엉을 건져 물기를 제거하고 기름을 두른 팬에 볶는다.
3. 우엉이 익어 가면 고기를 넣고 볶다 분량대로 섞은 양념장을 붓고 익힌다.
4. 양념장이 타지 않고 고기가 딱딱하지 않도록 중불로 익혀 완성한다.

 tip | 고기는 오래 볶으면 질겨지므로 살짝만 볶아야 합니다.
우엉 대신 연근을 넣어도 맛있어요.

## styling

도시락에 밥을 담고 그 위에 우엉쇠고기조림을
올린 뒤 절인 무를 곁들인다.

# 02

## 삼색밥
### (산쇼크소보로고항三色そぼろご飯)

소보로는 흐트러져서 얽힌 모양을 의미하는데, 요리에서 말하는 소보로는 고기나 생선을 으깨 양념한 뒤 지진 음식을 뜻합니다. 보통 고기나 달걀로 요리하지만 두부로 만들면 색다른 맛을 낼 수 있습니다. 소보로밥은 색감이 알록달록해 장식을 중요시하는 일본 도시락의 대표 메뉴입니다. 여기에 생강초절임까지 곁들이면 꽃밭을 보는 즐거움까지 만끽할 수 있답니다.

## 삼색밥, 생강초절임

● **생강초절임:** 생강을 얇게 슬라이스해 끓는 물에 살짝 넣었다가 뺀 다음 붉은 차조기 잎에 소금(차조기 잎 50g당 소금 1큰술)을 넣고 주무른 다음 식초, 물, 설탕을 3:3:1 비율로 넣고 하루 이상 절인다.

1.

2.

3.

4.

## 삼색밥

### 재료
두부 1/2모, 달걀 1개, 꼬투리 완두 100g, 쯔유 1큰술, 미림 1/2큰술, 소금 · 식초 약간씩, 식용유 적당량

### 만드는 법

1. 꼬투리 완두는 채썰어 소금을 약간 넣은 끓는 물에 데친다.
2. 기름을 두른 팬에 달걀을 풀어 넣고 식초를 한 방울 떨어뜨린 다음 여러 개의 젓가락으로 저어가며 볶는다.
3. 기름을 두른 팬에 두부를 넣고 주걱으로 잘게 부숴 가며 볶는다.
4. 두부가 어느 정도 볶아지면 쯔유와 미림을 넣고 볶는다.

 **tip** 꼬투리 완두가 없을 때는 아스파라거스나 껍질콩, 시금치 같은 녹색 채소를 대신 사용해도 좋습니다. 두부 대신 닭고기나 쇠고기 간 것을 넣고 볶아도 맛있어요.

### styling

도시락에 밥을 담고 완두, 달걀, 두부를 올린 다음 생강초절임으로 장식한다.

# 03

# 연어구이
## (야키사케焼き鮭)

# 04

## 주먹밥
### (오니기리おにぎり)

연어는 일본인들이 즐겨 먹는 대표적인 생선입니다.

주먹밥에도 연어가 들어가고 연어구이 도시락도 인기 메뉴일 정도지요.

연어구이 도시락은 우메보시와 먹는 게 일반적이에요.

맛과 향이 잘 어우러질 뿐 아니라 생선이 상하는 것을 방지하는 역할도 해 주기 때문입니다.

연어뿐 아니라 다른 생선과도 맛이 잘 어우러지는 대표적인 도시락 반찬입니다.


## 03 연어밥

연어구이, 현미밥, 우메보시,
배추절임, 버섯곤약조림

- **현미밥:** 현미는 씻어 1시간 정도 불렸다가 밥을 짓는다.
- **배추절임:** 배추 100g을 잘게 썰어 절임장(다시마 국물 3
  큰술, 식초 1큰술, 소금 1/2작은술)에 하룻밤 정도 절인다.
  송송 썬 홍고추를 조금 넣고 절여도 좋다.

연
어
구
이

**재료**

연어 100g, 레몬 2조각, 소금 · 후춧가루 약간씩, 식용유 적당량

1.

**만드는 법**

1. 연어는 먹기 좋게 썬 다음 소금, 후춧가루를
   뿌려 15분 정도 잰다.
2. 팬에 기름을 두르고 연어를 노릇하게 구운 뒤
   레몬을 곁들여 낸다.

 **연어는 껍질 부분부터 구워야 비린 맛이 덜합니다.**
**레몬을 곁들이면 맛이 더욱 담백해져요.**

2.

버섯곤약조림

## 재료

버섯 2~3개, 곤약 50g, 식용유 적당량, 양념장(간장 2큰술, 미림 · 청주 1큰술씩, 다시마 국물 1/3컵, 설탕 약간)

## 만드는 법

1. 곤약은 슬라이스한 다음 칼집을 넣는다
2. 끓는 물에 곤약을 넣고 살짝 데친다.
3. 기름을 약간 두른 팬에 곤약을 볶은 다음 먹기 좋게 썬 버섯을 넣는다.
4. 3에 분량의 재료를 섞은 양념장을 넣고 국물이 바닥에 2cm 정도 남을 때까지 조린다.

### styling

도시락의 반에 연어구이, 배추절임, 버섯곤약조림을 담고 나머지 반에 현미밥을 담은 뒤 우메보시를 밥 위에 올리면 근사한 정식이 완성됩니다.

주먹밥을 일본어로 '오니기리'라고 합니다. 주먹밥은 가장 간편한 도시락 메뉴인 듯해요. 일본인들은 평소 집에서 만들어 먹고, 손님을 접대할 때나 야외 음식으로도 자주 등장하지요. 2개 정도를 만들어 간단하게 먹는 것이 일반적입니다. 오니기리의 기본 속재료는 우메보시와 연어인데, 다시마조림이나 멸치 등 국물이 없는 짭조름한 식재료는 어떤 것이든 넣을 수 있어요.

## 04 주먹밥

### 주먹밥, 연근두부샌드, 무절임

● **무절임**: 무 50g을 얇게 썰어 우메보시 1개, 채썬 깻잎, 검은깨를 넣고 조물조물 무친 뒤 20~30분 정도 절입니다.

주먹밥

### 재료

밥 1공기, 참치 통조림 1/2캔, 잔멸치 50g, 김 1장, 식용유 적당량, 양념장(간장 1과 1/2큰술, 미림 1큰술, 청주 1/2큰술)

1.

### 만드는 법

1. 팬에 기름을 두르고 잔멸치와 참치를 각각 볶다 멸치와 참치에 분량의 재료를 섞은 양념장을 각각 반씩 부어 양념이 배도록 볶는다.

2.

2. 그릇에 랩을 깔고 밥을 올린 뒤 볶은 멸치와 참치를 각각 넣는다.

3.

3. 랩으로 써서 둥글게 뭉쳐 삼각형 모양으로 만든 다음 김으로 표면을 감싼다.

1.

2.

3.

4.

연근두부샌드

**재료**

연근 4조각, 참치 통조림 1/2캔, 두부 1/4모, 깻잎 2장,
간장 · 깨 1작은술씩, 소금 · 후춧가루 약간씩

........................................................

**만드는 법**

1. 연근은 모양대로 동그랗게 썰어 기름을 두른
   팬에 굽는다.
2. 볼에 참치, 두부, 간장, 깨, 소금, 후춧가루를
   넣고 섞은 뒤 구운 연근 위에 도톰하게 올린다.
3. 2 위에 깻잎을 얹고 다시 속을 올린 뒤 연근을
   얹는다.
4. 3 의 연근샌드를 먹기 좋게 반으로 자른다.

styling

도시락에 나뭇잎을 깔고 주먹밥, 연근두부샌드,
무절임을 담습니다. 도시락을 쌀 때 사용하는 사
사노하(笹の葉)라는 조릿대 잎은 장식 기능도
하고 살균 효과도 있어 일본에서는 도시락을 쌀
때 많이 사용해요.

# 05

## 연근가지볶음
### (렌콩토나스노이타메 蓮根と茄子の炒め)

# 06

## 유부초밥
### (이나리즈시 いなりずし)

연근가지볶음은 연근의 아삭함과 가지의 부드러움이 조화를 이루는 반찬입니다.
일본 가정식 볶음 요리는 재료를 많이 넣지 않고 2~3가지 재료를 이용합니다.
맛이나 식감으로 짝을 짓지요. 볶음은 국물이 없고 잘 상하지 않기 때문에
도시락 반찬으로 좋습니다.

## 05 연근가지볶음

### 연근가지볶음, 현미보리밥,
### 삶은 풋콩과 고구마, 단호박만주

- **현미보리밥:** 찹쌀현미와 보리를 3:1 비율로 섞어서 씻어
  1시간 정도 불렸다가 밥을 짓고 우메보시를 얹는다.
- **삶은 풋콩과 고구마:** 풋콩은 소금을 약간 넣어 삶고, 고구
  마는 먹기 좋게 썰어 삶은 다음 레몬즙 2작은술을 뿌린다.

1.

2.

## 단호박만주

### 재료
단호박 100g

.................................................

### 만드는 법

1. 단호박은 속까지 완전히 익도록 푹 삶은 뒤 뜨
   거울 때 으깨 랩을 깐 볼에 담는다.
2. 랩을 모아 동그랗게 만든 다음 끝부분을 틀어
   주름 모양을 만든다. 랩을 벗기고 동그란 모양
   이 유지되도록 도시락에 담는다.

 **단단한 단호박은 우유로 농도를 맞추고, 덜 싱싱한 단
호박은 소금을 약간 넣거나 기호에 맞게 설탕을 같이
넣고 삶으면 좋습니다.**

연근가지볶음

**재료**

연근 · 가지 50g씩, 다진 파 1큰술,
다진 생강 1/2작은술, 식용유 적당량,
양념장(물 2큰술, 간장 1큰술, 미림 1작은술, 고춧가루 약간)

...........................................................

**만드는 법**

1. 연근과 가지는 먹기 좋은 크기로 썬다.
2. 팬에 기름을 두르고 다진 파와 생강을 볶다가
   연근을 넣어 볶는다.
3. 연근이 익으면 가지와 분량대로 섞은 양념장을
   넣어 볶는다.
4. 양념이 잘 배고 재료가 충분히 익을 때까지 볶
   는다.

1.

2.

3.

**tip** | 달궈진 기름에 파와 생강을 먼저 볶으면 연근과
가지에 향이 잘 배어들어 맛이 더 좋아집니다.

4.

## styling

잘게 썬 우메보시를 밥 위에 얹어 주세요. 조림
위에는 실파를 얹으면 식감이 좋아집니다. 찬합
을 이용하면 모양이 망가질 염려가 없어 깔끔하
게 담을 수 있답니다

유부초밥은 손쉽게 만들 수 있는 소박하고 심플한 메뉴예요.
초밥 속에 검은깨를 넣거나 심지어 아무것도 넣지 않는 경우가 많습니다.
식초가 들어가 금세 상하지 않기 때문에 생선초밥을 제외한 대부분의 초밥이
도시락 메뉴로 적합합니다. 유부를 전날 미리 조려서 냉장고에 넣어 두고
아침에 밥만 지어 유부에 넣으면 시간을 절약해서 도시락을 쌀 수 있습니다.

## 06 유부초밥

### 유부초밥, 채소샐러드, 토란조림

● **채소샐러드:** 오이 1/4개를 얇게 편으로 썰고, 상추 4장을
먹기 좋게 찢은 다음 방울토마토와 함께 두부마요네즈에
곁들여 냅니다.

---

## 토란조림

### 재료

토란 2개, 감자 · 버섯 1개씩, 당근 1/2개, 브로콜리 20g,
조림장(다시마 국물 1/2컵, 간장 2큰술, 청주 · 미림 1큰술씩)

### 만드는 법

1. 토란은 껍질째 삶은 뒤 찬물에 넣고 껍질을 벗
   긴 다음 먹기 좋게 썬다.
2. 냄비에 조림장 재료와 토란을 넣어 조린다.
3. 2에 한입 크기로 썬 감자, 당근, 버섯을 넣고
   함께 조린다. 브로콜리, 호박 등 단단한 녹색
   채소를 넣어서 조려도 좋다.

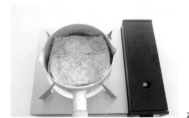

1.

2.

3.

4.

# 유부초밥

**재료**

밥 1과 1/2공기, 유부 3장, 단촛물(식초 1큰술, 빻은 깨 · 설탕 ·
소금 약간씩), 조림장(다시마 국물 1/2컵, 간장 2큰술,
청주 · 미림 1큰술씩)

.....................................................

**만드는 법**

1. 유부는 끓는 물에 살짝 데쳐 도마에 놓고 밀대
   로 납작하게 민다.
2. 냄비에 조림장 재료와 유부를 넣고 5분 정도
   조린 다음 냄비에 그대로 두고 식힌다.
3. 밥에 단촛물 재료를 넣고 잘 섞는다.
4. 유부의 입을 벌려 주머니를 만든 다음 **3**의 밥
   을 뭉쳐 유부 속에 넣는다.

**tip** 조린 유부를 바로 건지지 않고 조림 국물에 담가 식히면
양념이 속까지 잘 배어들어 더욱 맛이 좋습니다.
두부마요네즈는 p30 만드는 방법을 참고하세요.

## styling

샐러드와 조림, 유부초밥을 한 곳에 담으면 양념
과 소스의 맛이 섞일 수 있으므로 각각 다른 도
시락에 담는 것이 좋습니다. 브로콜리, 파슬리,
허브 등을 반찬이나 밥 위에 얹으면 시각적인 효
과를 높일 수 있어요.

# 삼색샌드위치
## (야사이산도이치野菜サンドイッチ)

서양의 빵 문화가 일본에 들어오면서 대중적인 식문화가 되었습니다. 그중 샌드위치는 일본식으로 변형되어 큰 사랑을 받는 메뉴지요. 돈가스를 식빵에 넣은 가츠산도**かつサンド**나 야키소바**焼きそば** 샌드위치도 인기가 많답니다. 부드러운 음식을 좋아하는 일본인들은 빵의 가장자리를 잘라내고 달걀 등의 속재료를 넣은 샌드위치를 도시락으로 즐겨 먹는데, 만들기 쉬우므로 속재료를 변형해 다양하게 준비해도 좋을 것 같아요.

1.

2.

3.

4.

5.

## 삼색샌드위치

**재료**

식빵 6장, 달걀 1개, 당근 1/2개, 브로콜리 1/4개,
식초 2작은술, 올리브유 1작은술, 소금·후춧가루 약간씩,
두부마요네즈 적당량

**만드는 법**

1. 달걀은 삶아 두부마요네즈를 넣고 으깬다.

2. 당근은 채썰어 식초, 소금, 후춧가루, 올리브유를 넣고 버무린다.

3. 브로콜리는 끓는 물에 소금을 약간 넣고 삶아 먹기 좋게 다진 다음 두부마요네즈를 넣고 버무린다.

4. 식빵에 올리브유를 살짝 바른 다음 달걀, 브로콜리, 당근을 각각 올린다.

5. 다른 한 장의 식빵을 위에 덮고 가장자리를 자른 뒤 4등분한다.

**tip** 샌드위치를 랩으로 타이트하게 싸서 30분 정도 두면 자를 때 내용물이 튀어나오지 않아 깔끔해요.
두부마요네즈는 p30 만드는 방법을 참고하세요.

### styling

샌드위치 속이 잘 보이도록 세워서 담으면 좋습니다. 샌드위치만 먹기에는 다소 심심할 수 있으므로 방울토마토를 곁들이면 색감까지 살릴 수 있어요.

# 08

## 닭꼬치(야키토리焼き鳥)

야키토리는 술안주로 즐겨 먹는 닭꼬치입니다. 간편하게 먹을 수 있어 길거리 포장마차나 일본 축제에 항상 등장하는 음식 중 하나지요. 그만큼 일반적이고 서민적인 음식입니다. 닭꼬치는 구운 요리라 쉽게 상하지 않아 도시락 반찬으로 제격입니다. 덮밥처럼 먹어도 맛있고요. 연근, 오이 등의 채소 반찬과 함께 준비하면 영양의 균형까지 맞출 수 있어 더욱 좋습니다.

## 닭꼬치, 현미밥, 연근초무침, 멸치볶음

- **현미밥:** 현미를 씻어 1시간 정도 불렸다가 밥을 짓는다. 오이 1/2개를 둥글고 얇게 썰어 양념(식초 1작은술, 소금·설탕 약간씩)에 15분 정도 쟀다가 물기를 꼭 짜서 밥 위에 올리고 깨를 뿌린다.
- **연근초무침:** 연근 100g은 슬라이스하고, 당근 50g은 채썰어 끓는 물에 살짝 데친 다음 양념(식초 2큰술, 깨1큰술, 소금 약간)에 버무린다.
- **멸치볶음:** 기름을 두른 팬에 멸치 50g과 피망 1개를 채썰어 볶다 양념장(간장 2큰술, 미림·청주 1큰술씩)을 붓고 볶는다. 고춧가루를 살짝 뿌려도 좋다.

---

1.

2.

3.

4.

닭
꼬
치

**재료**

닭고기(가슴살) 100g, 레몬 1조각,
소금·후춧가루 약간씩, 식용유 적당량,
양념장(간장 2큰술, 미림·청주 1큰술씩)

..............................................................

**만드는 법**

1. 닭고기는 먹기 좋게 자른 뒤 소금과 후춧가루로 밑간해 5~10분 정도 쟀다.
2. 기름을 두른 팬에 닭고기를 볶는다.
3. 닭고기가 익기 시작하면 분량의 재료를 섞어 만든 양념장을 조금씩 부어가며 볶는다.
4. 익힌 닭고기를 3조각 정도씩 꼬치에 꿴다.

 **tip** | 닭꼬치에 슬라이스한 레몬을 곁들이면 입맛을 돋우고 고기의 잡냄새도 없앨 수 있어요.

**styling**

3가지 반찬은 도시락 하나에 함께 담고 밥은 따로 담습니다. 닭꼬치에 돈가스 소스를 살짝 뿌리면 더욱 맛있어요.

# 09

part
03-2

## 된장 소스 두부샌드
### (도후스미소豆腐酢みそ)

# 10

주먹밥구이
(야키오니기리 焼きおにぎり)

일본 가정에서는 된장에 식초를 넣어 새콤한 된장 소스를 즐겨 만듭니다.
이 소스를 구운 두부에 바른 다음 김으로 싼 것이 바로 도후스미소입니다.
식초는 두부가 상하는 것을 막아 주어 냉장고에 2~3주 보관할 수 있습니다.
도시락 메뉴로도 좋고 나물이나 샐러드에도 활용할 수 있어요.

## 09 된장 소스 두부샌드

된장 소스 두부샌드, 차조기절임을 얹은 밥,
당근볶음, 연근파래무침

- **차조기절임을 얹은 밥:** 쌀을 씻어 30분 정도 불렸다가 밥
  을 지은 뒤 송송 썬 실파를 섞어 도시락에 담고, 소금을 넣
  고 주물러 숨을 죽인 붉은 차조기 잎을 밥 위에 올린다.
- **당근볶음:** 당근 1/2개를 채썰어 기름을 두른 팬에 볶다 간
  장 1/2큰술과 검은깨를 약간 넣고 볶는다.

연근파래무침

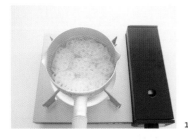

1.

2.

**재료**

연근 150g, 식초 1큰술, 깨 1/2큰술,
검은깨 · 소금 · 파래가루 약간씩

**만드는 법**

1. 연근은 얇게 슬라이스해 끓는 물에 살짝 데친다.
2. 데친 연근에 식초, 깨, 검은깨, 소금, 파래가루
   를 넣고 버무린다.

1.

2.

3.

4.

## 된장 소스 두부 샌드

### 재료

두부 1/2모, 김 1/4장, 식용유 적당량, 된장 소스(식초 1큰술,
빻은 깨 1/2큰술, 된장 2작은술, 설탕 약간)

..................................................

### 만드는 법

1. 분량의 재료를 섞어 된장 소스를 만든다.
2. 두부는 한입 크기로 썰어 물기를 빼고 기름을
   두른 팬에 굽는다.
3. 두부가 노릇하게 구워지면 접시에 담고 한쪽
   면에 된장 소스를 조금씩 바른다.
4. 된장 소스 위에 다시 두부를 얹고 김으로 돌려
   마무리한다.

**tip** 두부는 소금을 뿌려 물기를 뺀 다음 구워 주세요.
물기가 없도록 노릇하게 구워야 샌드를 만들 때
수분이 배어나오지 않아 맛있어요.

### styling

두부 반찬으로 도시락을 쌀 때 밥 위에 새콤달콤
한 맛이 나는 재료나 양념을 첨가하면 맛의 궁
합이 잘 맞아요. 절인 차조기 잎 대신 다진 파무
침이나 피클을 잘게 썰어 뿌리면 식감도 높일 수
있고 모양도 예뻐요.

주먹밥구이는 야외 도시락은 물론 선술집에서 먹는 간단한 식사 메뉴이기도 합니다.
구워야 하기 때문에 보통 주먹밥보다는 손이 가지만 그만큼 맛있답니다.
일본인들은 음식에 짙은 색이 돌아야 맛있어 보인다고 생각하지만,
굽는 정도는 기호에 맞게 조절하면 됩니다.


## 10 주먹밥구이

### 주먹밥구이, 오이절임

주먹밥구이는 아삭한 오이와 궁합이 잘 맞아요. 오이 대신 매실장아찌를 곁들여도 좋아요.

---

오
이
절
임

1.

2.

### 재료
오이 1개, 붉은 차조기 잎 20g, 소금 1/2큰술

...........................................................

### 만드는 법

1. 차조기 잎은 물로 깨끗이 씻어 소금을 넣고 손으로 바락바락 주물러 숨을 죽인다.
2. 볼에 먹기 좋게 썬 오이와 소금에 절인 차조기 잎을 넣고 버무린다.

 **붉은 차조기 잎을 구하기 힘들 때는 시판 시소후리카케를 오이에 뿌려도 됩니다.**

1.

2.

3.

4.

5.

## 주먹밥구이

### 재료

밥 1과 1/2공기, 간장 1작은술,
된장 소스(된장 · 미림 1작은술씩, 다진 파 약간)

### 만드는 법

1. 볼에 분량의 재료를 넣고 섞어 소스를 만든다.
2. 손에 소금과 물을 묻혀가며 밥을 뭉쳐 주먹밥
   모양을 만든다.
3. 주먹밥을 석쇠에 올려 앞뒤로 살짝 굽는다.
4. 주먹밥 1개에는 된장 소스, 다른 1개에는 간장
   을 바른다.
5. 소스를 바른 주먹밥을 석쇠 자국이 생기도록
   노릇하게 굽는다.

**tip** 석쇠를 충분히 달군 뒤 주먹밥을 올려야 밥이 석쇠에
붙지 않아 모양이 예뻐요.

## styling

주먹밥구이는 반찬의 물기가 새지 않도록 왁스
페이퍼나 유산지를 깐 뒤 대나무 도시락에 담아
보세요. 내추럴한 느낌이 나고 통기성도 좋아 야
외에서 먹는 도시락으로 좋습니다.

오소스와케와 오카에시

204

일본에서는 소식하는 습관만큼이나 이웃이나 친척과 음식을 나누어 먹는 양도 아주 적답니다. 우리나라에서는 '감질 난다', '쫀쫀하다'라는 소리를 듣기 딱 좋지만, 일본의 문화와 환경적인 배경을 보면 이해가 됩니다. 산이 많고 기후가 더운 일본에서는 냉장고가 없던 시절부터 생선을 즐겨 먹어 신선도에 예민할 수밖에 없었습니다. 그러다 보니 많은 음식을 이웃이나 친척에게 나눠 주면 상대편이 곤란할 수도 있다고 생각합니다. 다 먹자니 너무 많고 보관해 두자니 상할 우려가 있어 처치 곤란한 상황을 만들지 않으려는 배려에서 출발했다고 합니다.

일본에는 '오스소와케お裾分け'라는 말이 있어요. 남에게 받은 것을 나누어 먹는다는 뜻이지요. 선물 받은 것을 남에게 주는 것은 예의가 아니지만, 가족이 먹기에 너무 많은 음식이 선물로 들어오거나 맛있는 음식을 선물로 받으면 이웃과 나누어 먹는 경우가 많습니다. 상대방이 부담스럽지 않도록 "이것은 오스소와케이니 부담 없이 나누어 먹자"고 말하지요. 이렇게 나누어 먹는 데 익숙한 일본인들에게 한 가지 재미있는 관습이 있어요. 받은 것의 75% 또는 반 정도를 "오카에시お返し"라고 말하며 감사의 마음을 담아 다른 것으로 돌려준다는 것입니다.

제가 이러한 관습에 익숙해지기까지는 시간이 필요했어요. 한국에서는 누군가에게 무엇을 줄 때 대가를 바라지 않는데, 일본에서는 무언가를 주면 오카에시라는 형태로 다시 내게로 돌아와 받기 위한 행동 같고 상대에게 부담을 주는 것 같은 느낌이 들었거든요. 그런데 '어떻게 선물을 받고 가만히 있느냐'는 진심 어린 마음에서 행해지는 게 오카에시라는 것을 알고는 적응이 되었습니다.

오카에시 문화는 식생활에서 이렇게 이루어집니다. 예를 들어, 사과를 선물 받았다면 받은 사과의 반을 돌려보내는 것이 아니라 사과로 잼이나 파이를 만들어 보내면서 "선물 받은 사과로 이렇게 맛있게 먹었다"는 감사의 말을 전합니다. 제가 처음 시집왔을 때 시어머니께서는 케이크 반쪽, 선물 세트 반 등 뭐든 반만 주셨습니다. 한국의 사고방식에 익숙한 저는 '주려면 다 주고 말려면 말지 이게 뭐지'라는 생각이 들어 사실 그리 기분이 좋지 않았어요. 왠지 먹다 남은 것을 받은 것 같았어요. 그런데 알고 보니 '콩 한 쪽도 나누어 먹자'는 우리나라 속담처럼 애정에서 나온 행동이었어요. 그러다 보니 저도 어느새 맛있는 것이 생기면 반을 뚝 잘라 시어머니께 보내는 습관이 생겼지요.

이것은 저희 가족에 국한된 이야기가 아니에요. 제가 교토 세이카 대학에서 연구원으로 일할 때 교수님께서 주먹밥이나 귤처럼 작은 것도 반을 나누어 주시며, 일본인들의 '생활하면서 순수함을 잊지 말자'라는 생각에서 비롯된 습관이라고 말씀하셨습니다. 이러한 습관 또한 일본의 독특한 환경을 빼고 이야기할 수 없어요. 일본은 지진과 해일 같은 자연 재앙이 많은 나라 중 하나지요. 천재지변처럼 어려운 상황이 생기면 음식을 나누어 먹는 것은 당연하기 때문에 뭐든 함께 나누는 습관이 몸에 밴 듯합니다.

쉽게 만드는 건강 반찬

일본 가정식 반찬은 조리법이 단순해 한두 번의 과정이면 완성되는 초스피드 메뉴가 많습니다. 저장음식도 대부분 재료가 간단한 것들입니다. 일본에서는 다양한 재료가 들어가는 반찬보다 한 가지 재료의 맛을 살리는 반찬이 기본입니다. 때문에 재료 하나하나가 가지고 있는 맛을 존중해서 반찬을 만드는 것이 특징이에요. 하지만 그 외에는 재료나 양념이 한국과 비슷한 것이 많답니다. 우리처럼 즉석에서 먹는 반찬과 저장해 두고 먹는 반찬, 밑반찬 등이 있고, 양념도 몇 가지를 제외하면 대부분 같고 만드는 방법도 비슷합니다. 일본에서 즐겨 먹는 반찬은 우리 밥상에 그대로 올려도 입맛에 잘 맞는 것이 많아 다양하게 활용하기 좋습니다. 장수 국가에서 즐겨 먹는 건강 반찬인 즉석 반찬 10품과 저장 반찬 10품으로 반찬 걱정을 덜어 보세요.

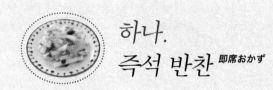

# 하나.
## 즉석 반찬 *即席おかず*

　　일본 요리의 특징 중 하나가 식재료 본연의 맛을 즐기는 것이라 즉석에서 만들어 먹는 음식이 많아요. 일본 양념은 우리보다 다양하지 않기 때문에 가정식 반찬 또한 만드는 방법이 간단하지요. 벌써 다 만들었나 싶을 정도로 초스피드로 만들 수 있는 반찬은 갑자기 손님이 오거나 밥상을 차렸는데 뭔가 부족할 때 좋아요. 후다닥 만들어 바로 먹어야 하기 때문에 주로 신선한 채소를 이용한 메뉴가 많은데, 날로 먹거나 살짝 익혀서 먹으면 좋습니다. 이렇게 간단한 반찬들은 밥상을 차리고도 뭔가 부족하다 싶을 때 살짝 끼워 넣거나 손님상을 차릴 때도 유용하게 활용할 수 있습니다. 샐러드나 애피타이저로 먼저 내도 좋고 밥과 함께 곁들여도 맛있어요. 음식은 시간과 정성을 들여야 맛있다는 말이 무색해지는 감칠맛 나는 즉석 반찬을 소개합니다. 인스턴트식품이나 시판 제품을 사용하지 않고도 10분 만에 만들 수 있는 초스피드 반찬을 만들어 보세요.

● 즉석 반찬 메뉴의 재료와 분량은 모두 2인분 기준입니다.

# 01

## 브로콜리샐러드
### (브로코리사라다 ブロッコリーサラダ)

샐러드의 일본어는 '사라다'로, 일본에서는 생채소뿐 아니라 익힌 것도 사라다라고 해요.
입맛이 없을 때 먹으면 좋은 브로콜리는 삶아도 영양 손실이 없기 때문에
항상 익혀서 음식을 합니다. 브로콜리샐러드는 밥과 같이 먹어도 좋지만
일품요리에 곁들이는 사이드 메뉴로도 적당합니다.

1.

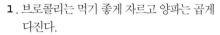

2.

3.

4.

### 재료

브로콜리 · 붉은 양파 1/4개씩, 올리브유 1큰술,
식초 1/2큰술, 소금 · 후춧가루 약간씩

### 만드는 법

1. 브로콜리는 먹기 좋게 자르고 양파는 곱게
   다진다.
2. 브로콜리를 끓는 물에 소금을 약간 넣고 살짝
   삶아 물기를 제거한다.
3. 볼에 다진 양파, 올리브유, 식초, 소금,
   후춧가루를 섞어 드레싱을 만든다.
4. 브로콜리에 3의 드레싱을 넣고 버무린다.

**tip** │ 차게 보관해 두었다 먹으면 더욱 맛있어요.
        │ 식초 대신 레몬즙을 넣어도 좋습니다.

# 양상추고추냉이무침
## (レタスのわさび和え レタスのわさび和え)

무침을 할 때 고추냉이를 조금 넣으면 입맛을 돋울 수 있습니다.
양상추를 살짝 데쳐서 무치면 색다른 맛이 나고 아삭아삭하니 식감이 좋답니다.
간편하게 차려 내는 반찬으로 준비해 보세요.

### 재료
양상추 1/2개, 쯔유 1큰술, 고추냉이 1/2작은술

### 만드는 법

1. 양상추는 먹기 좋게 손으로 뜯는다.
2. 볼에 쯔유와 고추냉이를 넣고 섞어 양념을
   만든다.
3. 양상추는 끓는 물에 살짝 데친다.
4. 물기를 뺀 양상추에 양념을 넣고 버무린다.

**tip** 양상추는 끓는 물에 넣었다 바로 빼는 정도로만 짧게
데치세요. 쯔유 대신 간장을 사용해도 좋습니다.
쯔유 만드는 법은 p29를 참고하세요.

# 03

## 초된장미역무침
(와카메노스미소아에 *わかめの酢みそ和え*)

일본어로 와카메는 '미역', 스미소아에는 '초된장무침'을 의미합니다.
일본에서는 미역을 머리숱이 많아지는 음식이라고 생각해 건강식품으로 즐겨 먹어요.
미역은 국뿐 아니라 무침, 샐러드 등에 다양하게 활용하며 된장, 식초 등의 양념을
사용합니다. 초된장미역무침은 10분이면 만들 수 있는 맛깔스런 반찬이에요.

---

1.

2.

3.

4.

### 재료

생미역 100g, 잔멸치 20g,
무침양념(식초 · 된장 · 미림 또는 설탕1/2큰술씩,
연겨자 1작은술)

.......................................................

### 만드는 법

1. 볼에 분량의 양념 재료를 넣고 섞어 무침양념을
   만든다.
2. 생미역은 먹기 좋은 크기로 자른다.
3. 끓는 물에 잔멸치를 살짝 데친다.
4. 볼에 미역과 잔멸치, 무침양념을 넣고 버무린다.

 **tip** | 국을 끓일 때는 마른 미역을 물에 불려 사용해도
좋지만, 무침은 생미역을 사용해야 더 맛있어요.

# 04

연두부

*(히야야코冷奴)*

'히야야코'는 양념장과 함께 먹는 찬 연두부를 말합니다.
여름이 되면 일주일에 3~4번은 식탁에 오르는 여름철 단골 메뉴지요.
여름철 슈퍼마켓에 가면 1인분씩 포장되어 있는 히야야코 전용 두부를 볼 수 있어요.
집집마다 양념장이 다른데, 가쓰오부시 국물과 간장을 섞거나 쯔유와 생강으로 만든
양념장이 일반적입니다.

1.

2.

3.

4.

**재료**
호두 2알, 연두부 1모, 쯔유 · 다진 파 1큰술씩,
생강 · 가쓰오부시 약간씩

**만드는 법**

1. 호두는 잘게 다진다.
2. 볼에 쯔유와 다진 파, 호두를 넣고 섞어 양념장을
   만든다.
3. 두부를 그릇에 담고 양념장을 올린다.
4. 생강을 갈아 양념장 위에 얹고 가쓰오부시를
   뿌린다.

 **tip** | 채소와 견과류를 다져 넣은 쯔유에 깨나 고춧가루를
살짝 넣어도 좋습니다.

# 05

## 토마토달걀볶음
### (토마토토타마고노이타메모노トマトと卵の炒め物)

토마토에 달걀을 넣어 볶은 토마토볶음은 서양의 아침 식사인
스크램블을 응용해서 만들었습니다.
일본에서도 주로 아침 식사로 먹는데, 토마토가 맛있는 여름철에 특히 인기가 좋답니다.

**재료**
달걀 · 토마토 1개씩, 실파 2뿌리,
소금 · 후춧가루 약간씩, 올리브유 적당량

1.

**만드는 법**

1. 달걀을 풀어 소금을 약간 넣고 올리브유를
   두른 팬에 붓는다.
2. 팬을 기울여 달걀물을 한쪽으로 모은 다음
   젓가락으로 젓는다.
3. 달걀이 반숙 정도로 익으면 먹기 좋게 썬
   토마토를 넣고 볶는다.
4. 토마토가 살짝 익으면 소금, 후춧가루로
   간하고 송송 썬 파를 뿌린다.

2.

 **tip** 달걀을 팬에 넓게 펴지 말고 팬 한쪽으로 모아서
크게 저으면 공기가 들어가 부드럽고 풍성해져요.

3.

4.

# 채소구이
(야사이노호이르야키 野菜のホイル焼き)

스팀을 이용해 굽는 채소 요리입니다. 찜처럼 익히는 조리법이라 채소의 수분이
많이 날아가지 않아 맛과 영양이 살아 있는 영양 만점 메뉴지요.
여름에 야외에서 바비큐를 할 때 많이 먹지만 조리법이 간편해서 채소나 버섯을 이용해
집에서도 자주 해 먹는 즉석 음식이기도 합니다. 채소에 따라 익는 시간이 다르므로
딱딱한 것을 먼저 넣고 익히거나 재료를 각각 익히는 것이 좋습니다.

1.

2.

3.

4.

5.

**재료**

채소(표고버섯, 느타리버섯, 당근, 가지, 호박,
양파, 브로콜리) 400~500g, 올리브유 1~2큰술,
소금 · 후춧가루 약간씩

.......................................................

**만드는 법**

1. 표고버섯은 칼집을 내고 느타리버섯은 작게
   찢는다. 당근, 가지, 호박, 양파는 먹기 좋게 썰
   고 브로콜리는 작게 자른다.
2. 1의 채소에 올리브유, 소금, 후춧가루를 넣고
   살짝 버무린다.
3. 포일을 반으로 접은 뒤 양옆을 2cm 정도 접어
   봉지 모양을 만든다.
4. 포일에 준비한 2의 재료를 넣고 오므린 다음
   석쇠에 올린다.
5. 중불로 5분 정도 익히고 뒤집어 약불로 10분
   정도 익힌 다음 익은 것을 먼저 꺼내고 덜 익은
   채소는 조금 더 익힌다.

 **tip** 굽는 도중에 채소를 한 번 뒤집어 주세요.
올리브유와 채소의 증기가 포일 안에서 순환해 재료가
더욱 맛있게 익어요.

# 07

## 호두파볶음
### (네기이타메 ネギ炒め)

파는 보통 단독으로 사용하기보다는 다른 재료와 어우러지는 부재료로 많이 사용하는데,
파에 열을 가하면 매운맛이 단맛으로 변합니다.
호두파볶음은 이 원리를 이용한 요리예요. 팬에 파를 살짝 볶은 뒤
호두를 뿌리면 달콤하면서 고소하고 맛깔스러운 즉석 반찬이 됩니다.

1.

2.

3.

4.

**재료**

호두 4~5알, 파 1뿌리, 소금 · 후춧가루 · 간장 약간씩,
식용유 적당량

**만드는 법**

1. 호두는 다져서 마른 팬에 볶아 식힌다.
2. 파는 어슷하게 썬다.
3. 팬에 기름을 살짝 두르고 파의 흰 부분을 먼저
   넣어 볶다 잎 부분을 마저 볶은 다음 소금을
   약간 넣고 익으면 후춧가루를 뿌린다.
4. 파볶음을 그릇에 담고 1의 호두를 뿌린 뒤
   간장을 몇 방울 떨어뜨린다.

 호두 대신 슬라이스한 아몬드를 넣어도 좋습니다.

# 08

# 시금치두부범벅
## (호렌소노시로아에ほうれんそうの白和え)

시금치두부범벅은 일본 가정식에서 빼놓을 수 없는 반찬 중 하나입니다.

최근 한국에도 알려지기 시작했다고 하네요.

맛이 담백해 어떤 음식과도 조화가 잘 이루어지고 비타민이 듬뿍 든 건강 메뉴입니다.

시금치두부범벅은 시금치와 두부의 물기를 잘 빼는 것이 중요합니다.

수분을 너무 많이 빼면 맛이 없어지므로 살짝만 짜세요.

1.

2.

3.

4.

**재료**

시금치 100g, 두부 1/2모, 깨 1큰술,
간장 · 된장 1작은술씩, 소금 · 설탕 약간씩

**만드는 법**

1. 시금치는 먹기 좋게 썰어 끓는 물에 소금을
   약간 넣고 살짝 데친 뒤 물기를 없앤다.
2. 깨는 곱게 빻아 둔다.
3. 두부에 깨, 간장, 된장, 설탕을 넣고 두부를
   으깨면서 고루 섞는다.
4. 시금치에 3의 두부를 넣어 버무린다.

**tip** 설탕은 기호에 따라 조절하는데, 단맛을 좋아하지
않으면 설탕을 넣지 않아도 됩니다.

# 09

## 오이된장무침

(미소규리 味噌きゅうり)

미소규리는 된장과 함께 먹는 오이를 말합니다.
일본에서는 오이를 칼로 자르지 않고 방망이로 두들겨서 쪼개 먹어요.
오이의 단면이 울퉁불퉁해지면 된장이 잘 배어들어 더 맛있답니다.
아삭하고 짭조름해서 고기나 해물과 함께 내면 좋습니다.

1.

2.

3.

4.

### 재료
오이 1개, 된장 · 소금 1작은술씩, 굵은 소금 약간

### 만드는 법

1. 도마에 굵은 소금을 뿌리고 오이를 굴린다.
2. 표면이 어느 정도 정리되면 물로 씻은 뒤 다시 도마에 올리고 방망이로 살짝 내려쳐 오이를 쪼갠다.
3. 길게 쪼개진 오이를 먹기 좋게 손으로 자른다.
4. 오이에 된장, 소금을 넣고 버무린다.

**tip**
오이의 가시 부분을 말끔하게 제거해야 깨끗하게 씻을 수 있고 된장 양념도 잘 흡수됩니다.
도마 위에 오이를 굴리는 과정이 번거롭다면 오이 표면을 소금으로 문지른 뒤 씻어도 됩니다.

# 10

## 마가쓰오부시무침
### (나가이모노가츠오부시가케 長芋の鰹節かけ)

마가쓰오부시무침은 5분이면 완성됩니다.

채썬 마에 가쓰오부시를 뿌리고 간장으로 간하면 되는 초스피드 즉석 반찬이지요.

일본인들은 이 반찬을 계절에 관계없이 즐겨 먹는데, 간단한 술안주로도 인기가 많습니다.

1.

2.

3.

4.

**재료**

마 100g, 가쓰오부시 3g, 간장 1작은술

**만드는 법**

1. 마는 껍질을 벗긴다.
2. 마를 먹기 좋도록 길고 가늘게 채썬다.
3. 볼에 마와 가쓰오부시를 담는다.
4. 3에 간장을 뿌려 살짝 버무린다.

**tip** 간장과 가쓰오부시를 넣고 버무리지 않고
가쓰오부시를 마 위에 뿌려서 먹어도 좋습니다.

둘.
저장 반찬 作り置きおかず

일본은 지진, 태풍 등의 자연 재해가 많은데다 고온다습한 자연환경 때문에 저장음식
이 발달했답니다. 그래서 우리나라 밑반찬처럼 냉장고에 보관해 두고 먹을 수 있는 반찬의
종류가 많아요. 일본에서 즐겨 먹는 반찬 재료는 우리와 비슷한데 콩, 배추, 가지, 무 등의 채
소가 인기예요. 주 요리를 푸짐하게 만들기 때문에 반찬은 짭조름하게 간해 조금씩 집어 먹
을 수 있는 저장 반찬을 주로 만듭니다. 간장으로 조리거나 식초 등으로 새콤달콤하게 간을
한 반찬이 기본입니다. 오래 두고 먹는 저장식품으로는 우메보시, 미소, 락교 등이 대표적이
며, 단기간 저장해서 먹을 수 있는 반찬으로는 우엉볶음이나 소보로 등이 일반적입니다. 일
본에서는 저장 반찬을 한 번에 많이 만들어 친구나 이웃과 나눠 먹는 경우가 많습니다. 적게
는 3~4일, 길게는 몇 주 동안 먹을 수 있는 저장 반찬을 제안합니다.

● 저장 반찬 메뉴의 재료와 분량은 모두 2인분 기준입니다.

# 01

## 팽이버섯절임
### (나메다케なめたけ)

나메다케는 버섯을 간장에 조린 반찬입니다.
일본의 식단에서 빼놓을 수 없을 정도로 일반적인 저장 반찬이지요.
원래는 팽이버섯을 조려서 먹지만 간장을 너무 많이 흡수하면 짜기 때문에
절여서 먹는 것으로 변형해 보았습니다. 만들기 쉽고 맛있는, 밥도둑 같은 반찬이에요.

1.

2.

3.

4.

**재료**

팽이버섯 1팩, 당근 1/2개, 쯔유 1/2컵, 다시마 국물 1/3컵

. . . . . . . . . . . . . . . . . . . . . . . . . . . . . . . . . . . . . . . . . . . . . . . . . . . .

**만드는 법**

1 . 당근은 얇게 채썬다.
2 . 팽이버섯은 밑동을 자르고 3등분한다.
3 . 끓는 물에 당근과 팽이버섯을 살짝 데친 뒤
   물기를 없앤다.
4 . 쯔유와 다시마 국물을 섞은 뒤 당근과
   팽이버섯을 넣고 1시간 이상 담가 둔다.

**tip** 쯔유가 없을 때는 간장 · 다시마 국물 1/2컵씩, 청주 ·
맛술 1큰술씩을 넣고 한소끔 끓여 사용하세요.

# 02

## 유자배추절임
### (학사이노유즈즈케 白菜のゆず漬け)

1.

2.

3.

4.

5.

6.

유자배추절임은 우리나라의 백김치와
비슷한 반찬으로 겨울에 즐겨 먹습니다.
여기에는 다시마가 들어가는데, 비린 맛이
싫으면 넣지 않아도 됩니다.
배추와 유자가 주재료이므로 나머지 채소는
입맛에 따라 넣거나 빼도 좋습니다.

**재료**

배추 1/4포기, 유자 · 마른 고추 1개씩, 당근 1/2개,
불린 다시마 1장, 소금 20g(배추 무게의 3%),
다시마 국물 2컵, 식초 1/4컵

**만드는 법**

1. 배추는 먹기 좋게 썰어 흰 부분에 2/3 분량의
   소금을 뿌린 뒤 잘 섞는다.

2. 배추의 잎 부분을 마저 넣고 섞은 다음 남은
   소금을 물에 타서 고루 붓는다.

3. 비닐에 물을 넣어 배추 위에 올리거나 무게가
   있는 물건을 올려 배추를 눌러 준다. 2시간
   정도 절인 다음 위아래를 고루 뒤섞은 뒤 다시
   1시간 정도 더 절인다.

4. 유자는 껍질은 벗겨 채썰고 알맹이는 즙을 낸다.

5. 절인 배추를 물에 두어 번 씻어 물기를 최대한
   뺀다. 그릇에 배추, 채썬 당근과 다시마, 4의
   유자 껍질과 즙을 넣고 고루 섞는다.

6. 보관용기에 5의 배추를 담고 식초와 다시마
   국물을 섞어 부은 다음 고추를 얹고 바로
   냉장고에 넣어 하루 정도 지나면 먹는다.

**tip**
배추의 무게에 따라 소금의 양이 달라지므로 절여서
씻은 배추의 맛을 본 다음 간이 부족하면 다시마 국물에
소금을 섞어 부어 줍니다. 염분 섭취를 줄이고 싶다면
소금의 양을 줄이고 식초의 양을 늘려도 좋습니다.
다시마 국물의 양은 배추의 크기에 따라 약간씩 달라
질 수 있으므로 절인 배추가 자작하게 잠길 정도로만
조절해서 부어 주면 됩니다.

# 생강초절임
## (쇼가노아마즈즈케 しょうがの甘酢漬け)

생강초절임은 4월에서 6월 사이에 나온 햇생강으로 만드는 것이 일반적입니다.
햇생강은 크고, 수분이 많고, 부드럽게 맵기 때문에 초절임용으로 적당해요.
생강초절임은 만들어 두면 냉장고에서 3개월 정도 보관할 수 있습니다.
흰색 초절임은 보통 생선초밥을 먹을 때, 생선구이에 곁들일 때,
알싸한 밑반찬이 먹고 싶을 때 즐겨 먹어요. 차조기 잎을 넣고 분홍색으로 물들인
생강초절임은 규동이나 야키소바, 오코노미야키에 곁들여 먹습니다.

1.

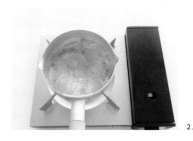

2.

3.

4.

**재료**
생강 300g, 절임장(식초 1컵, 설탕 2큰술, 소금 1/2작은술)

........................................................

**만드는 법**

1. 생강은 둥근 모양으로 얇게 썬다.
2. 둥글게 썬 생강을 끓는 물에 1분 정도 데쳐서 건진다.
3. 냄비에 분량의 절임장 재료를 넣고 팔팔 끓인다.
4. 보관용기에 생강을 담고 절임장을 부어 차갑게 식힌 다음 냉장고에 하루 정도 보관했다가 먹는다.

 생강 데친 물은 꿀을 조금 넣고 생강차로 마셔도 좋습니다. 또 고기 양념장이나 생선조림을 할 때 넣으면 잡냄새를 없애 줍니다.

# 유부조림
### (아부라아게노니모노 油揚げの煮物)

일본 유부는 두부를 썰어 튀긴 '으스아게 うすあげ'와 두꺼운 두부를 튀긴
'아츠아게 厚揚げ' 2가지 종류로 우리에게 익숙한 유부초밥용 유부는 으스아게입니다.
유부는 보통 끓는 물에 살짝 데치거나 뜨거운 물을 부어 기름을 빼고 먹지만,
고급 유부는 그냥 먹는 경우가 많습니다. 유부는 보통 국이나 탕에 넣거나
초밥으로 많이 먹는데, 일본에서 가장 자주 먹는 것은 유부조림입니다.

1.

2.

3.

4.

**재료**
긴 유부 2장(60g), 물 1컵, 쯔유 1큰술, 설탕 약간

**만드는 법**

1. 유부는 끓는 물에 데쳐 기름을 뺀 다음 먹기 좋
   은 크기로 썬다.
2. 냄비에 **1**의 유부와 물, 쯔유를 넣고 조린다.
3. 조림용 뚜껑(오토시부타)을 덮고 10~15분
   정도 조린다.
4. 국물이 냄비 바닥에서 1~2cm 정도 높이로
   줄면 불을 끈다.

 오토시부타가 없으면 수분이 증발할 수 있도록 약간
틈이 있게 뚜껑을 덮고 조리는 도중 2~3번 유부를 섞
어 주세요.

# 05

## 김조림
### (노리노츠크다니 のりの佃煮)

김조림은 다시마 간장 국물에 김을 넣고 걸쭉하게 조려 밥 위에 올려 먹는 밑반찬입니다.
김이 눅눅하거나 너무 많이 남았을 때 활용하는 반찬으로,
넉넉하게 만들어 입맛 없을 때 먹으면 좋습니다.
시판 상품도 나와 있을 정도로 아이들에게 선풍적인 인기를 얻고 있는 메뉴이기도 합니다.

**재료**
김 10장, 양념장(다시마 국물 1컵, 간장 · 조청 2큰술씩,
맛술 · 청주 1큰술씩)

1.

**만드는 법**

1. 김을 손으로 대강 찢어 냄비에 담고 분량의
   양념장을 넣는다.
2. 김이 양념 국물과 잘 어우러지도록 주걱으로
   저어 가면서 끓인다.
3. 김에 양념이 배고 국물이 거의 졸아들면
   냄비에 그대로 두고 식힌다.
4. 프로세서에 식힌 김을 넣고 간다.

2.

 **tip** 남은 김조림을 다시 한 번 끓이면 2주 정도 냉장고에
두고 먹을 수 있습니다. 구운 김이나 생김 모두 사용할
수 있습니다.

3.

4.

# 06

## 검은콩채소절임
### (구로마메토야사이즈케黒豆と野菜漬け)

1.

2.

3.

4.

5.

6.

콩조림은 일본의 새해 음식 중 하나입니다. 콩이 쉽게 으깨질 정도로 부드럽게 조리하기 때문에 조리 시간이 길어 한 번에 많은 양을 만드는 것이 좋습니다. 설탕을 많이 넣어 달콤하게 조려 먹거나 식초와 잘 어울리는 채소를 넣어 초절임으로 먹는 게 일반적입니다. 재료는 친숙지만 맛은 색다른 새콤하고 고소한 콩반찬입니다.

### 재료

검은콩 50g, 오이 · 당근 1/2개씩, 식초 4큰술, 빻은 깨 1큰술, 절임장(물 4컵, 설탕 · 간장 1작은술씩, 소금 약간)

### 만드는 법

1. 냄비에 절임장 재료를 담고 깨끗이 씻은 검은 콩을 넣어 하룻밤 불린다.
2. 1의 콩을 냄비 뚜껑을 덮고 강불로 한소끔 끓인다.
3. 국물이 끓어오르면 중약불로 줄이고 뚜껑을 반 정도 덮은 채 계속 끓인다. 거품이 생기면 바로 바로 걷어가며 부드럽게 익힌다.
4. 익힌 콩을 그대로 냄비에서 식힌다.
5. 오이와 당근은 콩 크기로 썬다.
6. 볼에 콩, 오이, 당근을 넣고 빻은 깨와 식초를 넣어 버무린다.

 **콩을 삶을 때 오토시부타를 덮으면 좋습니다. 국물이 넘치지 않도록 큰 냄비를 사용하세요.**

# 07

## 가지초간장절임

### (나스노난반즈케 茄子の南蛮漬け)

'난반즈케'는 옷을 입히지 않고 튀기거나 구운 재료를 초간장에 담가 먹는 음식입니다. 생선, 채소 등을 주로 사용하는데 재료에 따라 양념이 조금씩 다르지요. 이 요리는 재료가 뜨거울 때 초간장에 넣어 양념이 잘 배도록 하는 것이 중요해요. 튀김 요리가 번거롭다면 데치거나 찌는 식으로 변형해서 만들어도 좋습니다.

1.

2.

3.

4.

**재료**

가지 3개, 양파 1/3개, 초간장(간장 · 식초 2큰술씩, 생강 1/2큰술, 참기름 1작은술, 설탕 약간)

**만드는 법**

1. 가지는 길이대로 길게 자른 다음 끓는 물에 데친다.
2. 양파는 곱게 간다.
3. 볼에 분량의 초간장 재료와 양파를 넣고 섞는다.
4. 물기를 뺀 가지에 **3**을 붓고 1시간 정도 잰다.

 **tip** 가지에 초간장을 넣으면 숨이 죽어 모양이 망가질 수 있으므로 너무 오래 삶지 마세요. 가지에 약간 힘이 있을 때까지만 데치는 게 적당합니다.

# 08

# 삼치초절임
## (사와라노난반즈케さわらの南蛮漬け)

1.

2.

3.

4.

5.

6.

난반즈케는 생선으로 만들어도 맛있어요.
전갱이, 삼치, 꽁치, 고등어 등 입맛에 맞는
생선을 사용하면 됩니다. 생선을 튀기거나
구운 뒤 볶은 양파, 당근과 함께 절이는 게
일반적이지요. 생선과 채소의 담백하고
달콤한 맛을 조화시킨 영양 반찬으로
여름철에 자주 먹습니다 .

---

**재료**

삼치 3토막, 당근 · 양파 1/2개씩, 슬라이스 레몬 1조각,
밀가루 · 식용유 적당량씩,
초간장(식초 1/4컵, 간장 · 소금 1작은술씩,
슬라이스한  마른 고추 1/2작은술, 설탕 약간)

· · · · · · · · · · · · · · · · · · · · · · · · · · · · · · · · · · · · · · · · · ·

**만드는 법**

1 . 삼치는 손질해서 한입 크기로 자른 뒤 소금을
   약간 뿌려 10분 정도 잰다.
2 . 냄비에 초간장 재료를 넣고 팔팔 끓여 둔다.
3 . 당근과 양파는 채썰어 기름을 두른 팬에 볶는다.
4 . 볶은 당근과 양파가 뜨거울 때 끓인 초간장과
   레몬을 넣는다.
5 . 생선의 물기를 제거하고 밀가루를 얇게 입혀
   기름을 약간 두른 팬에 노릇하게 굽는다.
6 . 구운 생선을 4 에 넣고 맛이 충분히 배도록
   20분 이상 절인다.

 채소와 생선은 식히지 말고 반드시 뜨거울 때 바로
초간장에 넣어 주세요.

# 09

# 버섯양파장아찌

(기노코토다마네기노쇼유즈케 茸と玉葱の醬油漬け)

버섯양파장아찌는 한국과 일본의 요리를 섞은 저만의 레시피입니다.
한국식 양파장아찌를 일본 친구들에게 선물했더니 다들 아주 좋아해
일본인들이 즐겨 먹는 버섯장아찌에 응용해 보았어요.
양파와 버섯은 간장과 궁합이 잘 맞는 재료입니다.

1.

2.

3.

4.

### 재료

백만송이버섯 100g, 양파 1/2개, 양념장(다시마 국물 · 간장
1/2컵씩, 식초 1/4컵, 설탕 2큰술, 미림 1큰술)

### 만드는 법

1. 양파는 길게 2등분해 얇게 썬다.
2. 백만송이버섯은 먹기 좋게 떼서 끓는 물에
   살짝 데친다.
3. 냄비에 분량의 양념장 재료를 넣고 팔팔 끓인다.
4. 보관용기에 물기를 뺀 버섯과 양파를 넣고
   뜨거운 양념장을 부어 1~2일 정도 냉장고에
   보관했다가 먹는다.

 버섯양파장아찌에는 어떤 버섯을 넣어도 좋습니다.
2~3가지 버섯을 함께 사용해도 맛있어요.

# 10

# 다시마조림
## (곤부노츠크다니 昆布の佃煮)

일본 요리는 다시마로 국물을 내서 쓰는 경우가 많은데, 대부분의 가정에서 그 다시마를
버리지 않고 통에 담아 냉동실에 보관했다가 어느 정도 양이 모이면
'곤부노츠크다니'라는 다시마조림을 만듭니다. 일본의 대표적인 저장반찬으로
한국식 콩자반처럼 냉장고에 두고 2주 정도 밑반찬으로 즐겨 먹곤 합니다.

1.

2.

### 재료
다시마(국물 내고 보관한 것) 300g, 양념장(간장 3/4컵,
맛술 · 청주 1/4컵씩, 조청(또는 황설탕) 2큰술

### 만드는 법

1. 다시마를 사방 2~3cm 크기로 자른다.
2. 냄비에 분량의 양념장 재료와 다시마를 넣고
   끓인다.
3. 국물이 끓어오르면서 생기는 거품을 걷어내며
   조린다. 오토시부타가 있으면 덮고 없을 경우
   뚜껑을 반쯤 열고 조린다.
4. 바닥이 보일 정도로 바특하게 조려지면 불을
   끈다.

 **tip** 약간 도톰한 다시마가 적합합니다. 조림장이 다
졸아들었는데도 다시마가 부드럽지 않고 질길 경우에는
다시마 국물을 조금 더 부어 조려 주세요.

3.

4.

일본 주부들의 요리 습관

한국의 대표 반찬이 김치라면 일본의 대표 반찬은 '츠케모노漬物'입니다. 요즘 젊은이들은 김치 없이도 밥을 먹지만, 옛날에는 김치만으로 밥을 먹기도 했지요. 츠케모노는 우리의 김치와 같은 일본의 기본 밑반찬입니다. 김치 중 가장 대표적인 것이 배추김치라면 일본의 대표 츠케모노는 '우메보시梅干'라고 부르는 매실장아찌예요. 우리나라에 잘 알려진 단무지는 깍두기, 총각김치 정도라고 생각하면 됩니다. 일본으로 시집을 와서 시어머니께 처음 배운 것이 바로 매실장아찌인 우메보시입니다. 일본 가정 요리의 기본인 '우메보시'와 '미소'는 우리나라 김치에 비하면 양념이 많이 들어가지 않아 생각보다 쉽고 간단했어요.

시어머니께 매실장아찌와 미소 만드는 법을 배운 뒤 집에서 만들어 먹는 발효식품의 참맛을 알게 되었지요. 그러면서 한 가지 재미있는 사실을 깨달았어요. 일본 가정에서는 평범한 주부들도 전문가들처럼 평소 조리에 계량컵, 계량스푼, 온도계, 타이머 등 도구들을 사용한다는 것이었어요.

한국 주부들은 눈대중으로 요리하고 손맛을 중요하게 생각하기 때문에 제 친정 엄마만 해도 "그냥 이 정도 넣으면 된다"고 말씀하시거든요. 그런데 시어머니의 요리 전수 방식은 전문가 같았어요. "매실 무게의 몇 퍼센트 정도 소금을 넣어라"라는 식으로 정확한 수치를 말씀해 주시더라고요. 자세한 레시피와 주의사항까지 덧붙여 적어 주시는 모습을 보고 조금 놀랐답니다. 손과 몸이 기억하는 방법보다 도구 사용이 더 일상적인 일본의 주방이 저에게는 문화적인 충격으로 다가왔습니다.

한 번은 이런 일도 있었답니다. 저희 집에 식사를 하러 오신 시어머니 친구들이 제가 준비한 요리에 대해 꼼꼼히 물어 보시고는 그 자리에서 바로 레시피를 메모하더라고요. 우리는 귀로 듣고 집으로 돌아가 기억을 더듬으면서 만드는데 말이죠. 나중에야 이러한 습관에도 다 이유가 있다는 것을 알게 되었어요. 제과 제빵이나 서양 음식이 레시피에 적힌 분량대로 넣지 않으면 실패하기 쉽듯, 일본 음식도 양념이 워낙 심플하기 때문에 레시피의 수치가 대단히 중요하고, 양념을 어떻게 하는지보다 재료를 어떻게 다루느냐에 따라 음식의 맛이 달라지기 때문이었어요. 그래서 일본 주부들은 계량 도구나 레시피를 적는 습관이 자연스럽게 몸에 배어 있다고 하네요.

# bonus
# 01

**일본 가정집 식탁 04**

　　요즘 일본에서는 '30년 전 일본 식탁으로 돌아가자'라는 구호와 함께 옛 일본의 가정 음식으로 돌아가자는 분위기가 강해요. 옛날에 먹던 평범한 밥상의 중요성을 새삼 인식하고 있지요. 엄마의 정성스러운 손길이 느껴지는 소박하지만 따스한 음식들과 현미밥, 잡곡밥을 먹는 식단으로 바뀌고 있습니다. 매일 먹는 반찬만 잘 챙겨도 보약이 되듯 주부가 정성껏 만든 음식은 건강과 장수의 밑바탕이 됩니다.

　　일본 가정 요리에 연륜과 일가견이 있는 현지 주부들의 주방을 구경해 보았습니다. 일본 주부들이 직접 만든 일본 가정식 반찬을 집에서 준비해 보세요.

# 01

## 배추볶음(학사이이타메白菜炒め)

이모토치요코井本千代子씨의 제안

배추볶음은 겨울에 즐겨 먹는 쉽고 간단한 가정식 반찬입니다. 일본에서는 겨울에 냄비전골(나베)을 자주 해 먹는데, 저는 재료를 넉넉히 구입하는 편이라 요리를 한 뒤 항상 배추가 남아 볶음 반찬을 만들어 먹곤 합니다. 간단한 볶음 요리로 배추의 단맛을 만끽할 수 있는 소박하지만 맛있는 반찬이지요.

가족을 위한 요리가 가장 즐겁기 때문에 요리를 잘하는 것보다 얼마나 맛있게 먹어 주느냐가 더 중요하다고 생각합니다.

**재료**
배추 1/6포기, 가쓰오부시 3g, 간장·청주 1큰술씩, 식용유 적당량

| 1. | 2. | 3. | 4. |
|---|---|---|---|
|  |  |  |  |
| 배추는 먹기 좋은 크기로 썬다. | 기름을 두른 팬에 배추를 넣고 볶는다. | 배추의 숨이 죽으면 청주와 간장을 넣고 살짝 더 볶는다. | 그릇에 볶은 배추를 담고 가쓰오부시를 뿌린다. |

# 02
## 생선된장무침(아지노나메로あじのなめろう)

다카타요시코 高田良子さん 씨의 제안

생선된장무침은 일본 주부들의 손맛이 살아
있는 전형적인 가정 요리예요.
한국도 그렇지만 일본도 손질된 생선을 구입
하는 경우가 많습니다. 저는 원하는 크기와 모
양으로 자르기 위해 집에서 직접 생선을 손질
해서 먹어요.
텃밭에서 기른 파를 썰어 넣고 된장양념을 하
면 간단한 무침 반찬이 되지요.

**재료**
생선(전갱이) 1마리, 파 2뿌리, 생강 1/2쪽, 된장 1큰술, 청주 1작은술

1.

2.

3.

4.

생선은 뼈와 내장을 제거하고
깨끗이 씻어 핀셋으로 가시를
뽑는다.

손질한 생선은 먹기 좋게 썬다.

파는 송송 썬다.

생강을 다져 생선에 올리고 파,
된장, 청주를 뿌려 함께 섞는다.

# 03

## 유자무절임(유즈다이콩ゆず大根)

구라모토타즈 **蔵本田鶴** 씨의 제안

한국의 김장처럼 일본에서는 유자무절임이 대
표적인 겨울 절임 반찬이에요. 이 반찬을 먹지
않고 겨울을 나는 일본인이 없을 정도로 인기
가 많습니다. 한국인의 입맛에도 잘 맞을 거라
고 생각해요.

일본에는 요리에 식용 꽃을 장식하는 관습이
있는데, 노란 꽃을 회나 고기 요리, 반찬에 살
짝 올리면 멋진 장식 효과가 있답니다.

**재료**

유자 1개, 무 500g, 설탕 50g, 식초 3큰술, 소금 1큰술

1.

무는 얄팍하게 채썬다.

2.

유자는 반으로 가른 뒤 껍질은 벗겨
잘게 채썰고 과육은 즙을 낸다.

3.

무와 유자 껍질을 체에 밭쳐 물기를
뺀 다음 유자즙, 소금, 설탕, 식초를
넣고 버무려 하룻밤 두었다가 먹는다.

# 04
## 콩채소조림(고목크니伍目煮)

이모토가네코井本金子 씨의 제안

일본인들은 콩을 즐겨 먹어요. 콩은 어떻게 요리해도 맛있지만, 콩채소조림은 장수를 기원하는 5가지 채소를 함께 넣어 조리는 일본 전통 음식입니다. 재료에 변화를 줄 수도 있지만 콩, 우엉, 당근 3가지는 꼭 들어가야 합니다. 요리는 생각하고 계산하게 하며, 몸을 움직이고 마음으로 느끼도록 해 주기 때문에 요리를 즐기면 몸도 더욱 건강해질 거예요.

**재료**

콩 100g, 연근·곤약 80g씩, 당근 1/2개, 우엉 1/4개, 다시마 10×10cm 1장,
조림장(다시마 국물 1컵, 청주·맛술·간장 2큰술씩, 설탕 약간)

|  1. | 2. | 3. |

콩은 물에 담가 하룻밤 불린다. 당근, 우엉, 연근, 곤약은 콩 크기로 썬다.

냄비에 1과 조림장 재료를 넣고 끓인다.

국물이 반으로 줄 때까지 뚜껑을 덮고 조린 뒤 불을 끈다.

# bonus
# 02

**소박한 자연식 밥집 12**

　　한국에서도 인기가 많았던 영화 〈카모메 식당〉이나 만화 〈심야 식당〉, 〈현미 선생〉 등을 통해 일본 가정식 메뉴가 많이 알려졌습니다. 최근 일본에서 인기 있는 음식은 영화나 만화에 나오는 것처럼 수수하고 소박한 일본 가정식입니다. 따라서 자연식을 표방하는 음식점이나 채식 레스토랑, 마크로비오틱 전문 레스토랑도 많이 생기고 있답니다.

　　최근 인기를 끌고 있는 식문화 중 하나는 마크로비오틱(마크로**Macro**와 비오틱 **Biotic**이라는 영어를 일본식으로 발음한 것으로 채식주의보다 더 넓은 의미의 신토불이, 일물전체, 음양의 조화를 중심으로 자연과 조화를 이룬 라이프스타일을 말한다)입니다. 채식과 잡곡을 중심으로 통째 먹는 것이 특징인데, 파뿌리도 함께 조리하는 등 어떤 부위도 버리지 않고 껍질째 먹는 식문화입니다.

　　이처럼 건강 가정식과 함께 성업 중인 일본 음식점들의 추세는 개성입니다. 예를 들어, 밥이 맛있는 집, 면이 특별히 맛있는 집 등 그 집만의 특성을 내세운 전문점이 인기입니다. 또한 지금 일본에서 인기를 얻고 있는 음식점들의 맛의 비법은 식재료라 할 수 있습니다. 어떤 좋은 식재료를 이용해서 조리했는지가 자랑이자 맛을 승부하는 조건입니다. 소문난 맛집들은 하나같이 재료비를 아끼지 않고 일반인이 구하기 힘든 질 좋은 재료를 사용합니다. 인스턴트 음식점이 생기기 전에 일본에서 성행했던 특별한 양념이나 국물 맛을 내는 곳 등 주인의 남다른 비법이 담긴 음식을 판매하는 곳도 늘고 있는 추세입니다.

　　이렇듯 도쿄, 고베, 교토, 오사카를 중심으로 개성 있는 맛집을 추천합니다. 최근 이슈가 되고 있는 일본 가정식 식당의 건강 메뉴도 함께 구경해 보세요.

**브라운라이스** ブラウンライス

도쿄의 패션 중심가인 오모테산도에 위치한 일본 가정 요리 전문점으로 현대적인 감각과 세련미를 가미한 건강 음식이 주 메뉴입니다. 여성들에게 특히 인기가 많은데, 오모테산도에서 쇼핑을 한 뒤 이곳에서 식사하는 코스를 추천합니다. 다른 일본 가정식 식당과 같이 '오늘의 메뉴'가 준비되어 있으며, 한 그릇 음식과 간단히 먹을 수 있는 음식도 판매합니다.

추천하고 싶은 요리는 '오늘의 정식'으로, 제철 식재료를 이용한 세트 메뉴와 '호박채소수프'입니다. 수프는 호박과 채소, 잡곡을 함께 끓인 죽 같은 것인데 식사로도 충분합니다. 정식의 경우 일주일이나 3~4일에 한 번 메뉴가 바뀌니 참고하세요.

식당 바로 옆에 '브라운라이스 델리'가 붙어 있어 주먹밥 같은 가벼운 식사도 할 수 있고, 다른 곳에서 구하기 힘든 천연식품도 구입할 수 있어요.

### info

- **주소** 東京都 渋谷区神宮前 5-1-17 グリーンビル 1F
- **연락처** 03-5778-5416 | www.brown.co.jp
- **영업시간** 12:00~20:00
- **정기 휴일** 불규칙

### 스시잔마이 すしざんまい

이곳은 도쿄의 관광 명소로 손꼽히는 츠키지라는 어시장에 있는 이름난 초밥집입니다. 가격이 적당한데다 찾기 쉽고 어시장도 구경할 수 있어 일석이조예요. 츠키지 어시장의 수많은 초밥집에서 먹어본 뒤 단골집으로 선택한 곳이에요.

초밥이 싱싱하고 맛있는데다 점원들도 친절하답니다. 특히 생선뼈를 우린 국물로 만든 된장국은 최고라고 생각해요. 어시장에 있기 때문에 생선의 신선도는 두말할 것도 없죠. 외국인들도 자주 찾는 곳이라 영어로도 주문 가능합니다. 초밥을 하나하나 따로 주문할 수도 있지만, 모둠 초밥과 참치를 좋아한다면 '참치초밥 세트'를 추천합니다.

### info

- **주소** 東京都 中央区築地 4-11-9
- **연락처** 03-3541-1117 | www.kiyomura.co.jp
- **영업시간** 24시간
- **정기 휴일** 없음

### 스즈나미|鈴波

스즈나미는 생선구이 전문점으로 동경의 롯폰기 옆 미드타운에 자리하고 있어요. 쇼핑몰 안에 있어 쇼핑하기 편리한데다 패션 디자이너 이세이 미야케와 건축가 타다오 안도의 합동 작품인 현대미술관 '21-21DESIGN SITE'도 있어 볼거리가 많다는 것이 장점입니다. 또한 한국에는 아직 잘 알려지지 않은 '사카나노카스즈케魚の粕漬け'를 맛볼 수 있어요. 사케를 만들고 남은 건더기인 '카粕'에 생선을 넣고 발효시켜 구운 것인데, 된장처럼 깊고 구수한 맛이 나고 말린 생선처럼 쫀득쫀득 씹히는 식감이 특징이에요.

생선 종류에 따라 곁들이 반찬이 달라지며, 음식점 앞 플라스틱 모형을 보고 주문할 수 있어 편리합니다. 모둠 구이는 3~4가지 생선을 조금씩 고루 맛볼 수 있으므로 다양한 생선을 맛보고 싶을 때 주문하면 좋아요. 사카나노카스즈케는 포장 판매도 하고 있으니 입맛에 맞으면 여행 선물로 구매해도 좋겠지요.

### info

- **주소** 東京都 港区赤坂 9丁目 7-1 ガレリア B1F
- **연락처** 03-5413-0335 | www.tokyo-midtown.com/jp/index.htm
- **영업시간** 11:00~15:30, 16:30~21:00
- **정기 휴일** 없음

## 타이쇼켄 大勝軒

타이쇼켄은 라면 마니아라면 안 가 본 사람이 없을 정도로 일본에서 아주 유명한 라면집입니다. 이곳은 한 번 폐업을 했다가 이곳의 라면 맛을 잊지 못하는 단골손님들이 편지를 보내고 음식점 앞에서 기다리기도 하는 등 개업을 열정적으로 권해 다시 문을 열게 되었지요. 그래서 그런지 인터넷 홈페이지 첫 화면이 손님들이 줄서 있는 모습입니다. 지금은 아들이 대를 이어 운영하고 있으며 근처에 분점도 2곳 있습니다.

이곳에서 가장 인기 있는 메뉴는 '츠메면'입니다. 국물과 라면이 따로 나와 라면을 국물에 조금씩 넣어서 먹는 일본 고유의 라면이지요. 이곳의 특징 중 하나는 양이 많고 고기도 듬뿍 넣어 준다는 점인데, 여성이 먹기에는 양이 좀 많은 편이에요. 얼마 전만해도 라면집에서 여성 혼자 라면을 먹는 모습은 볼 수 없었지만, 지금은 여성 혼자 혹은 가족이 함께 즐기는 라면집이 많아지고 있어요. 토마토라면, 채소라면 등 여성의 입맛에 맞는 새로운 라면들도 개발되고 있습니다. 일본 라면이 한국인의 입맛에는 좀 기름져서 입에 맞지 않는다는 사람도 있는데, 이곳 라면만큼은 예외라는 의견이 많아요.

### info

- **주소** 東京都 豊島区南池袋 2-42-8
- **연락처** 03-3981-9360 | www.tai-sho-ken.com
- **영업시간** 11:00~23:00
- **정기 휴일** 없음

## 02 고베

神戸

**바른** ばるーん

영어 'balloon'의 일본어 발음인 바른은 건물 외벽에 풍선 그림이 눈에 띄게 장식되어 있어요. 큰 간판이 없어 처음에는 음식점이 아니라 유치원인 줄 알았답니다. 이곳에 있는 모든 가구는 수작업으로 만든 맞춤형으로, 의자에도 빨간 풍선과 함께 식당 이름이 새겨져 있어요. 이런 소박한 정성은 음식에도 이어집니다. 저렴한 가격에 맛있고 건강한 식사를 할 수 있는 곳이지요.

특히 추천하고 싶은 메뉴는 정식입니다. 밥, 국, 다시마조림을 기본으로 10~15가지 반찬 중 4가지를 골라 원하는 세트로 만들면 됩니다. 반찬은 매일 메뉴가 바뀌는데 100~200엔만 추가하면 돈가스, 닭튀김 같은 특별 메뉴도 주문할 수 있습니다. 보리차도 무료로 마실 수 있고요.

화학조미료나 색소, 인공감미료를 사용하지 않고 새벽에 직접 수확한 싱싱한 채소로 요리하기 때문에 '집 밥보다 더 맛있는 밥집'으로 호평을 받고 있어요. 고베 중심가 산노미야역에서 자동차로 10~15분 거리에 자리하고 있지만 큰길가라 찾기는 어렵지 않습니다.

## info

- **주소** 神戸市 兵庫区菊水町 10-9-23
- **연락처** 078-577-4303 | www.souzaiya-balloon.com
- **영업시간** 11:30~20:00
- **정기 휴일** 일요일, 공휴일

**시라하마즈시**志らはま鮨

시라하마즈시는 스마JR역JR須磨駅에서 도보로 5~8분, 산요스마데라역 山陽須磨寺駅에서 1~2분 거리에 있어요. 이곳은 바닷장어(붕장어)김밥으로 유명한 맛집입니다. 고베에서 제대로 된 일본식 김밥을 맛보고 싶다면 단연 이곳을 추천합니다.

지역 주민들 사이에서 맛있다고 소문이 난 집이라 영어가 통하지는 않습니다. 하지만 메뉴가 간단하기 때문에 일어를 못해도 아무런 문제없이 식사를 할 수 있습니다. 출입구 카운터와 벽에 2가지 종류의 김밥 사진이 있어 그중 원하는 메뉴를 가리키면 되지요. 포장도 가능한데 카운터에 있는 모형 중 원하는 것을 선택하면 됩니다.

음식점 안에서 식사를 하는 경우 된장국과 말차젤리가 디저트로 나옵니다. 테이블 위에 있는 장어구이 양념장과 산초가루를 김밥에 넣어 먹어도 맛있어요. 이곳은 붉은색 된장으로 국을 끓이고 장어구이를 넣는데 그 맛이 일품입니다. 김밥은 말할 것도 없고 된장국도 특별해 매일 먹고 싶을 정도지요.

### info
- **주소** 神戸市 須磨区須磨寺町 1-11-12
- **연락처** 078-731-4716
- **영업시간** 11:30~15:00(식사) | 10:00~18:00(포장)
- **정기 휴일** 일요일, 공휴일

**교노고메료테이 하치다이메기혜**京の米料亭 八代目儀兵衛

교토의 중심 관광지인 히가시야마東山의 하치사카진자 八坂神社 앞에 자리하고 있습니다. 하치사카진자 정문 바로 맞은편 큰길 사거리에 있어 찾기도 쉬워요. 출입문 앞에 일어와 영어로 된 큼지막한 메뉴판이 있기 때문에 가게로 들어가기 전에 메뉴와 가격을 확인할 수 있어요. 이곳은 밥으로 승부하는데, 일본 밥이 얼마나 맛있는지 확인시켜 준답니다.

이곳은 오차즈케부터 덮밥까지 이 집만의 밥맛을 자랑할 수 있는 메뉴들로 구성되어 있습니다. 정식 메뉴도 반찬들이 모두 밥과 잘 어울리는 전형적인 일본 정식 차림이 중심이에요.

추천하고 싶은 메뉴는 생선조림이나 생선구이 정식으로 꾸밈이 없는 그야말로 전형적인 일본 정식 상차림이라 밥맛을 음미하기에 가장 적합합니다. 두부로 유명한 지역인 교토답게 애피타이저로 작은 그릇에 깨두부가 나오고, 이 집에서 특별 제작한 세라믹 뚝배기에 지은 밥의 맨 윗부분을 떠서 미리 먹어 보게 합니다. 밥알이 탱탱하고 윤기 있으며 찹쌀이 아닌데도 쫀득쫀득하면서 사르르 녹는 밥맛이 정말 좋아요. 그렇게 밥 한 숟가락을 먹고 나면 주문한 음식이 나오고 식사를 마치면 누룽지가 나옵니다. 우리나라 같으면 숭늉도 줄 법한데 일본에는 구수하고 맛있는 숭늉을 먹는 습관이 아직 없네요.

**info**

- **주소** 京都市 東山区祇園町北側 296
- **연락처** 075-708-8173 | www.hachidaime.co.jp
- **영업시간** 11:00~15:00, 17:30~22:00
- **정기 휴일** 수요일

### 스가마치 식당スガマチ食堂

스가마치 식당은 일본 가정식을 맛볼 수 있는 음식점입니다. 이 집 주인은 평소 매일 먹는 평범한 밥이 얼마나 맛있는지를 알았으면 하는 마음에 이 집을 오픈했다고 해요. 맛과 영양이 잘 어우러진 전형적인 일본의 정식 밥상이 주 메뉴로 음식의 종류는 많지 않습니다. 정식 메뉴 2가지와 덮밥 1~2가지가 전부지만, 메뉴가 매일 바뀝니다. 그래서 매일 가도 질리지 않게 즐길 수 있어요.

이 집 음식의 특징은 첨가물이나 화학조미료를 넣지 않는 것은 물론 채소와 고기 같은 주재료는 친구와 친척들이 직접 농사를 지은 유기농과 무농약 식품을 사용한다는 점입니다. 그런 좋은 재료를 사용하면 보통 가격이 높은 편인데, 이 집에서는 일본 어디서나 먹는 정식 가격 정도면 식사를 할 수 있어요.

주문할 때 흰밥과 현미밥 중 선택할 수 있으니 일본 가정식 중에서도 특히 자연 건강식을 맛보고 싶을 때는 꼭 방문해 보세요. 식당을 겸한 카페라 달콤한 디저트와 차도 마실 수 있습니다. 카페 메뉴로는 검은깨와 된장으로 만든 쿠키가 맛있고, 다른 케이크나 디저트도 설탕이나 버터의 맛이 강하지 않고 소박한 맛이 특징입니다.

## info

• **주소** 京都市 北区紫野南船岡町 71番地
• **연락처** 075-441-2808 | www.sugamachi.com
• **영업시간** 11:30~20:30
• **정기 휴일** 월요일, 화요일

## 상미 実身美

상미는 요즘 일본에서 선풍적인 인기를 끌고 있는 자연주의 가정식 전문점으로 여성 손님이 많은 편입니다. 인테리어도 편안한 나무색에 부드러운 불빛으로 현대적인 감각의 건강식 분위기를 자아내 트렌디한 일본인들이 많이 찾는 음식점이에요. 20~40대 여성들이 주된 손님이기는 하나, 가족 단위나 연세가 많은 사람들도 자연스럽게 드나들 수 있는 분위기입니다. 옛날 일본 가정식이 건강식이라는 최근의 추세에 발맞춰 이곳의 메뉴는 평범한 일본 가정식을 테마로 하고 있습니다. 밥, 국, 반찬으로 이루어진 정식을 주 메뉴로 한 그릇 음식 2가지 정도가 준비되어 있어요.

이곳에서는 '오늘의 정식'을 드셔 보세요. 전통 일본 가정식을 기본으로 현대적인 맛을 약간 가미한 스타일로 반찬이 매일 바뀝니다. 정식 식사 후에는 '두유푸딩'을 디저트로 추천합니다. 콩의 비린 맛이 전혀 없고, 깨가 들어 있어 고소하고 달지 않아 두유를 마시지 않는 분들도 좋아합니다. 바나나파운드케이크, 현미주먹밥, 깨보시도 맛있어요.

### info

- **주소** 大阪市 北区鶴野町 3-10
- **연락처** 06-6375-3531 | www.sangmi.jp
- **영업시간** 11:00~21:00
- **정기 휴일** 일요일

## 가마도 다이닝그 자카 미도리|釜戸 ダイニング＆雑貨·緑

이곳은 점심에는 맛있는 정식을 먹고, 저녁에는 식사와 함께 술을 마실 수 있는 선술집입니다. 고급스러움과 세련미보다는 고집스럽게 맛으로 승부하는 곳으로, 따뜻한 분위기에서 편하게 식사하고 이야기를 나눌 수 있는 매력 있는 맛집이에요. 번화가나 큰길이 아닌 곳에 자리하고 있어 왠지 더 정겨운 곳입니다. 주택가에 자리 잡고는 있지만 큰길을 끼고 골목으로 들어서면 바로 보이기 때문에 찾기는 어렵지 않아요.

이곳의 특징은 장작으로 불을 때 무쇠솥에 밥을 짓는다는 것입니다. 무쇠솥에 밥을 짓는 부엌이 음식점 중간에 오픈돼 있어 식사를 하면서 밥 짓는 장면도 볼 수 있고 주인과 이야기를 나눌 수도 있어요. 쌀도 일본에서 품질상을 받은 최고급품만 사용합니다. 종이로 만든 쌀가마가 음식점 안에 놓여 있는 정경이 정겨워 보입니다. 이렇게 좋은 쌀로 정성껏 지은 밥을 '오히츠おひつ'라는 일본 전통 방식의 밥통에 담아 덜어 먹을 수 있도록 그릇과 밥주걱을 함께 줍니다.

추천 메뉴는 두말할 것 없이 밥과 평범한 반찬인데 생선구이, 달걀말이, 조림, 된장국 등을 고루 먹어 보길 권합니다. 평범한 밥상이 특별하게 느껴지는 괜찮은 맛집이에요.

### info

- **주소** 大阪市 中央区上本町西 2-6-24
- **연락처** 06-6763-0110 | www.eonet.ne.jp/~nomad/
- **영업시간** 11:30~14:00, 17:30~23:00
- **정기 휴일** 연말연시, 오봉

## 소바요시다이코안 そばよし大幸庵

소바요시다이코안은 메밀 전문점입니다. 통메밀을 직접 빻아서 만들기 때문에 일반 메밀국수집에는 없는 귀한 메밀죽도 판매합니다. 구수한 메밀죽 외에도 다양한 정식을 판매합니다.

추천하고 싶은 메뉴는 뚝배기에 나오는 메밀죽과 따끈한 메밀국수입니다. 오리고기를 토핑한 메밀국수는 세숫대야 같은 그릇에 담겨 나오는 것이 특징이에요. 계산대 쪽에서 메밀로 만든 일본식 과자도 판매하는데, 메밀의 구수함과 향이 살아 있어 메밀을 좋아하는 사람이라면 한 번쯤 맛을 볼 만하답니다.

### info

- **주소** 大阪市 中央区道修町 1-6-7 北浜MIDビル1F
- **연락처** 06-6229-3456 | daiko-an.com
- **영업시간** 11:00~16:00, 17:00~22:00
- **정기 휴일** 일요일

---

## 이나카소바 田舎そば

이나카소바는 오사카의 중심인 우메다역 근처에 있어 교통이 편리합니다. 이곳에서는 우동을 포함한 다양한 일본 국수를 판매하고 있어요. 이 집은 직접 면을 뽑아서 만들기 때문에 면발이 구수하고 약간 쫀득해요. 국수도 맛있지만 국물 맛 또한 일품이라 국물을 남기는 손님이 거의 없답니다.

이곳에서는 그중 국수와 밥이 같이 나오는 메뉴를 추천합니다. 주변에 쇼핑가가 있어 쇼핑을 하다 들러 국수 한 그릇 먹고 다시 쇼핑하기에도 좋습니다.

### info

- **주소** 大阪市 北区角田町梅田地下街 2-6
- **연락처** 06-6312-9129
- **영업시간** 11:00~20:00
- **정기 휴일** 셋째 주 목요일